名家教你写

欧阳询《九成宫醴泉铭》视频精讲版

◎杨华 编

中原出版传媒集团
中原传媒股份公司
河南美术出版社
·郑州·

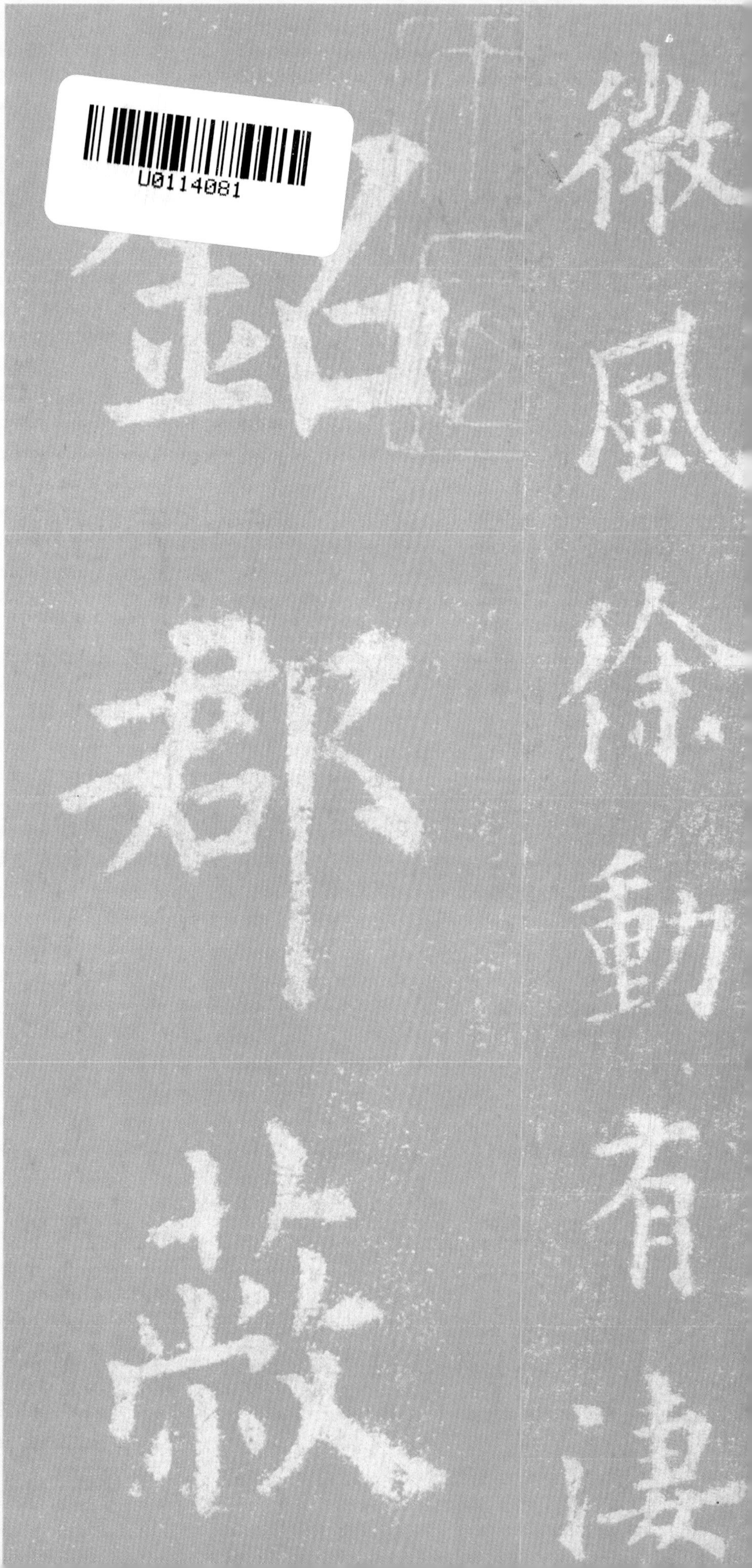

图书在版编目（CIP）数据

欧阳询《九成宫醴泉铭》/杨华编. — 郑州：河南美术出版社，2023.2

（名家教你写：视频精讲版）

ISBN 978-7-5401-6087-6

Ⅰ. ①欧… Ⅱ. ①杨… Ⅲ. ①楷书–碑帖–中国–唐代 Ⅳ. ①J292.24

中国版本图书馆CIP数据核字（2022）第254301号

名家教你写 视频精讲版

欧阳询《九成宫醴泉铭》

杨 华 编

出 版 人 李 勇
责任编辑 庞 迪
责任校对 裴阳月
装帧设计 张国友
文字编辑 史笑笑
出版发行 河南美術出版社
地 址 郑州市郑东新区祥盛街27号
邮政编码 450016
电 话 0371-65788152
印 刷 河南瑞之光印刷股份有限公司
经 销 新华书店
开 本 889mm×1194mm 1/16
印 张 4.5
字 数 56.5千字
版 次 2023年2月第1版
印 次 2023年2月第1次印刷
书 号 ISBN 978-7-5401-6087-6
定 价 36.80元

出版说明

《九成宫醴泉铭》碑石立于贞观六年（公元632年），由魏徵撰文，欧阳询书丹。碑文记载的是唐太宗在九成宫避暑时发现涌泉之事。此碑为欧阳询晚年奉敕之作，被后代学书者奉为经典范本之一。

从《九成宫醴泉铭》原碑上看，点画藏头护尾，笔意不是十分明显。虽方笔居多，但笔画含蓄均匀，取势递相顾揖，相互呼应，长短合度，粗细适中。

《九成宫醴泉铭》的字形相对其他楷书而言稍长。欧阳询处理字的结体是因字成形：笔画少的，字形略小，点画粗壮；笔画多的，字形略大，点画稍细。仔细研究会发现，《九成宫醴泉铭》结字上另一个明显的特点是『缩左伸右』，这也是欧书『法度』的一个表现。欧阳询被誉为楷书的『结构大师』，他在结字时一方面加强横画的左低右高之势，另一方面加强整个字的攲侧程度，从而造就欧体字结构的险绝态势。

《九成宫醴泉铭》整体规矩、法度森严，在欧阳询的笔下意态丛生。他大胆地突破，在笔法、结构和意态的变化上，有着独具特色的风格和体式。也正是因为欧体楷书的特点明显，因此更容易让初学者记住，从而为临创提供了更好的条件。

为方便书法爱好者学习，我社特邀请著名书法家杨华老师对全书进行临摹示范并选取范字进行讲解。另外运用现代技术手段，制作成扫描二维码即可观看讲解的视频，以飨读者。

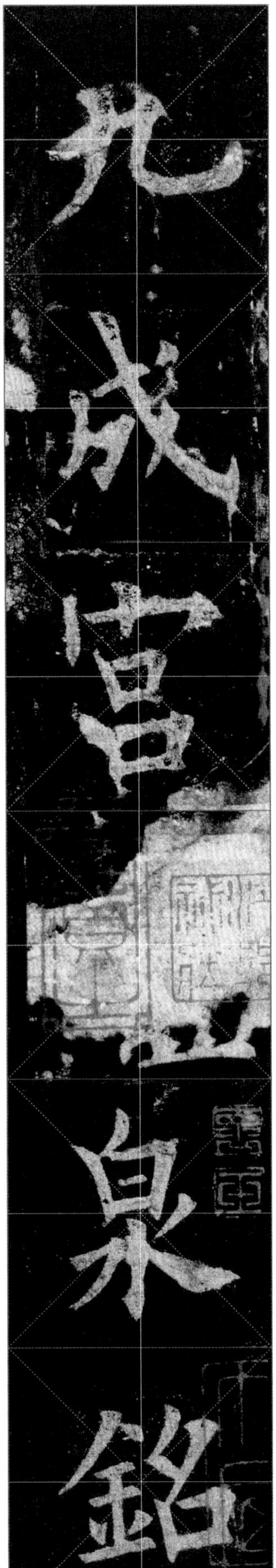

九成宫醴泉铭

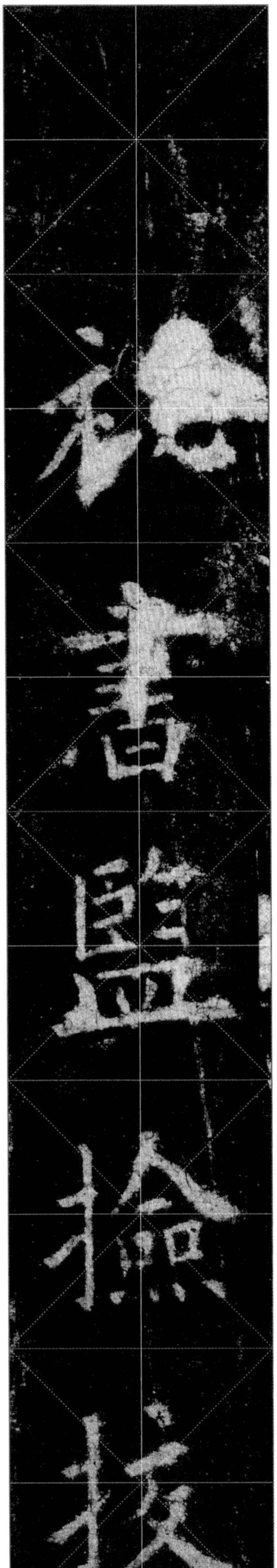

秘书监捡（检）挍（校）

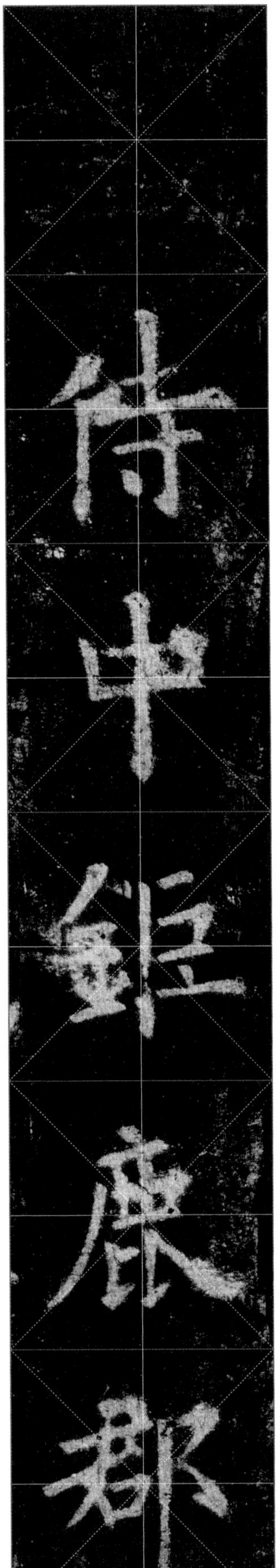

侍中钜鹿郡

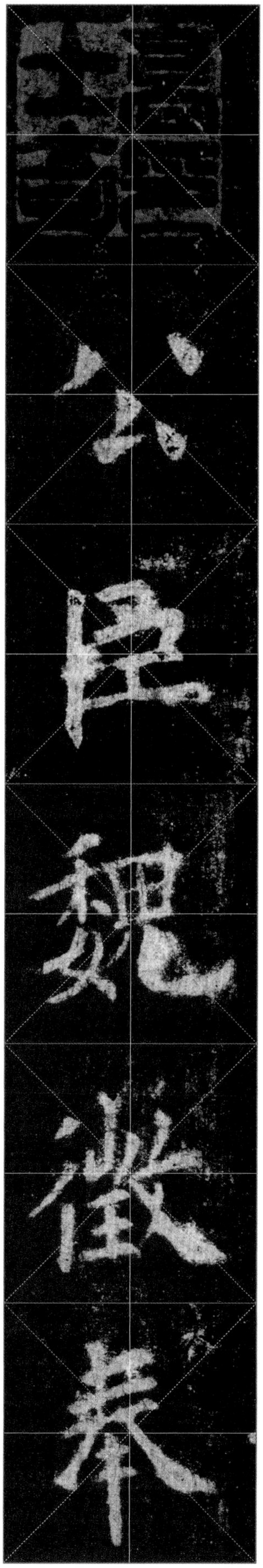

公臣魏徵奉

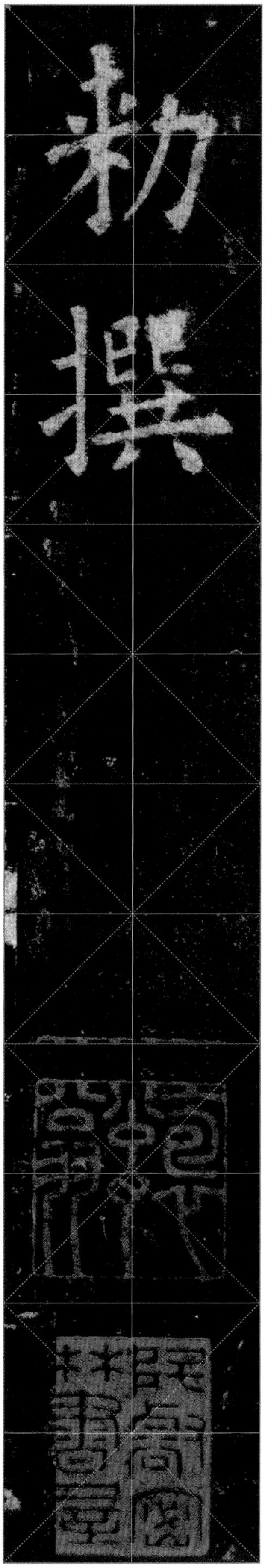

敕撰

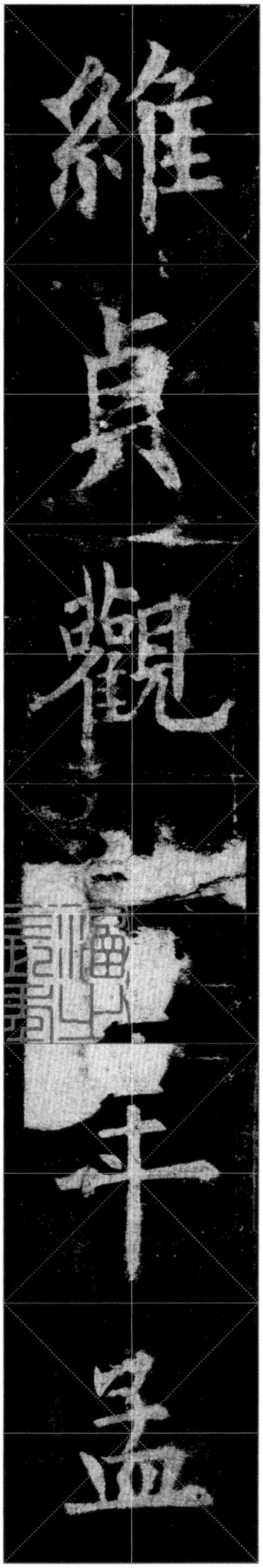

维贞观六年孟

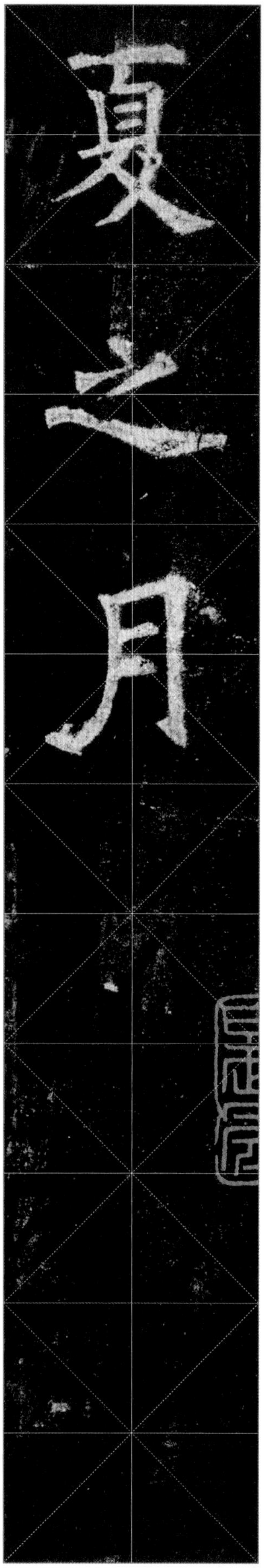

夏之月

皇帝避暑乎九

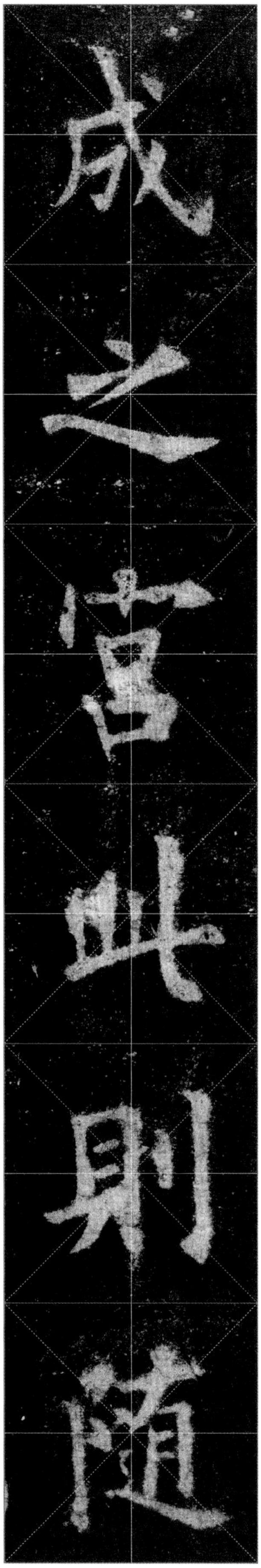

成之宫此则随

之仁寿宫也冠

山抗殿绝壑为

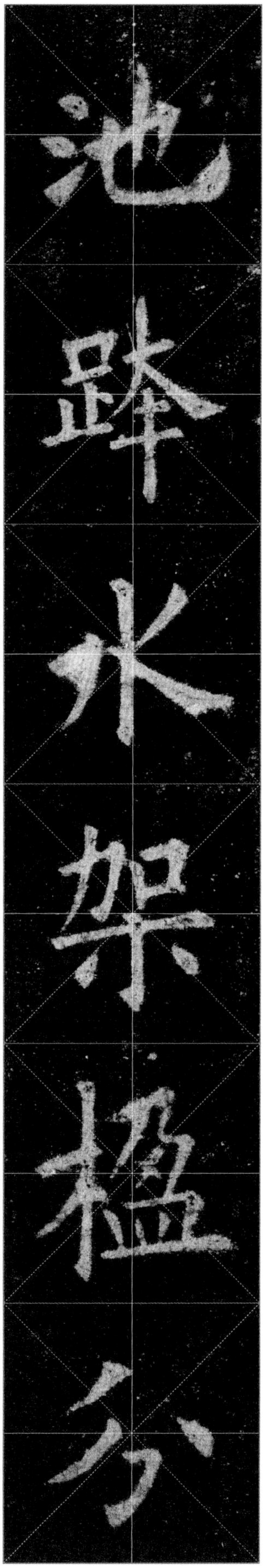

池跨水架楹分

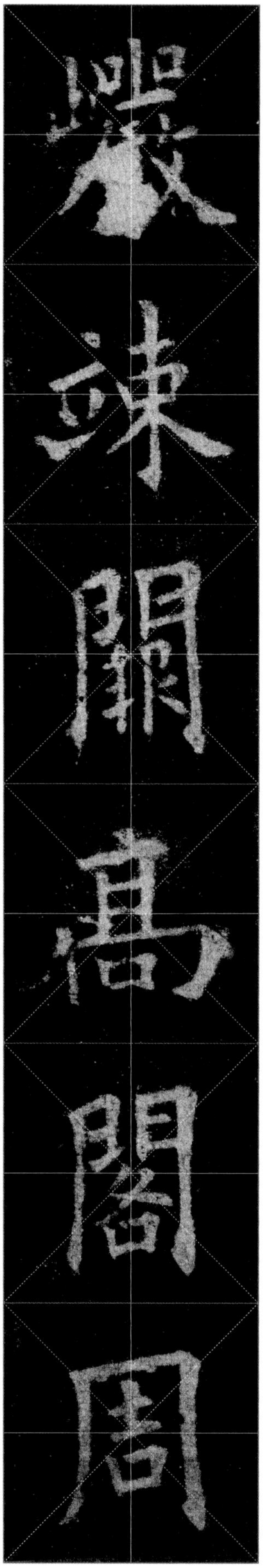

岩竦阙高阁周

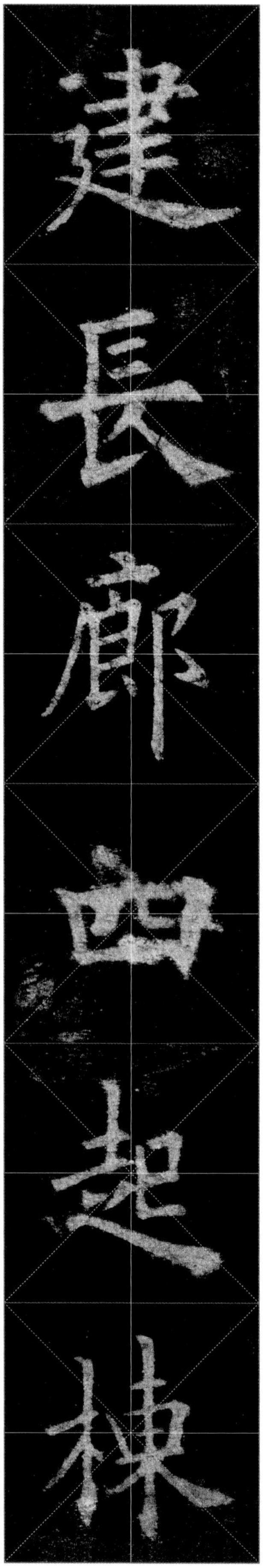

建长廊四起栋

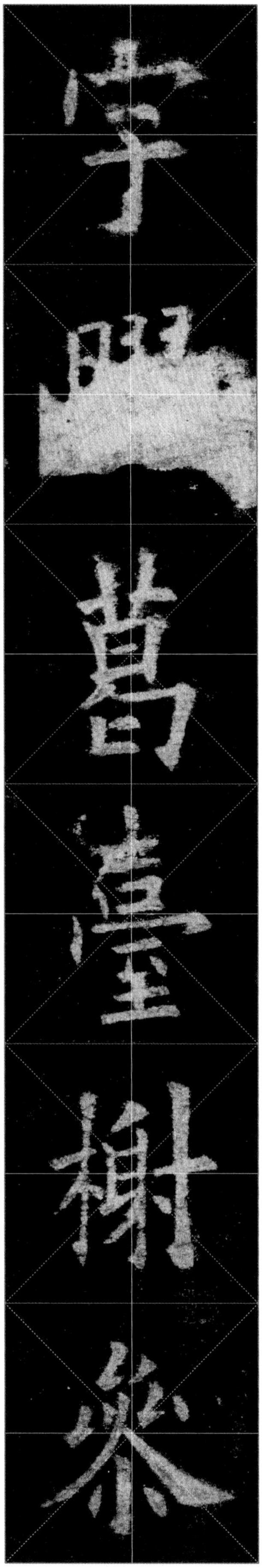

宇胶葛台榭参

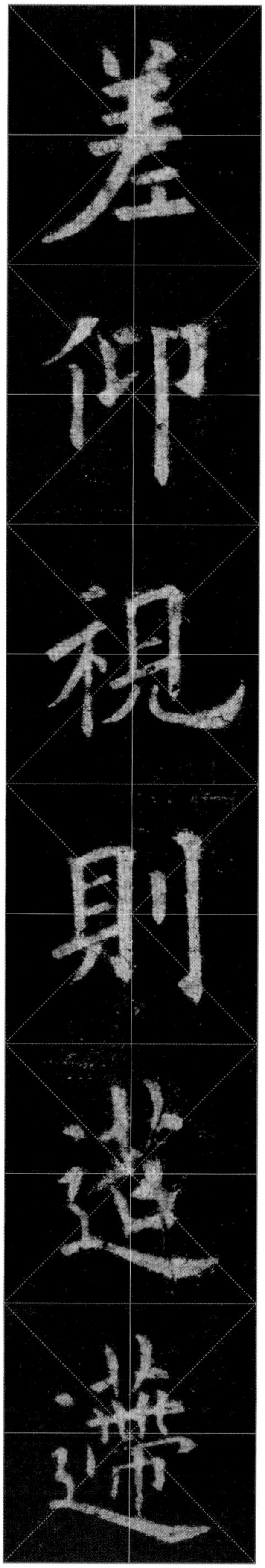
差仰视则迢递

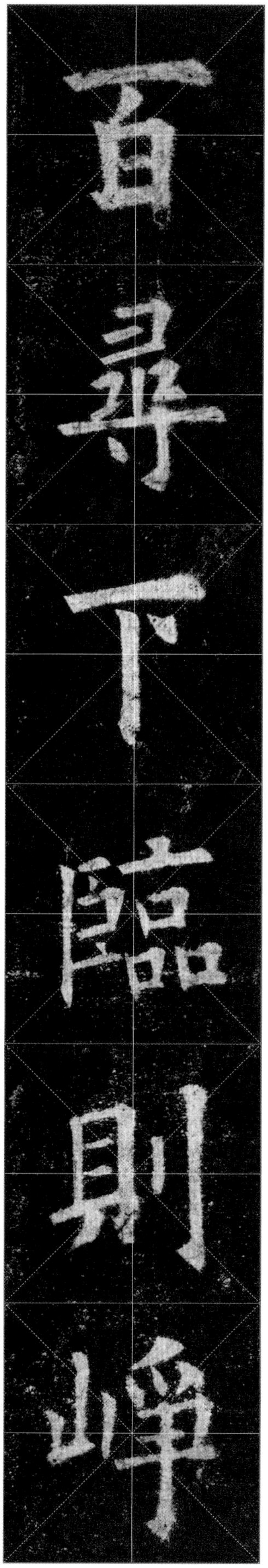
百寻下临则峥

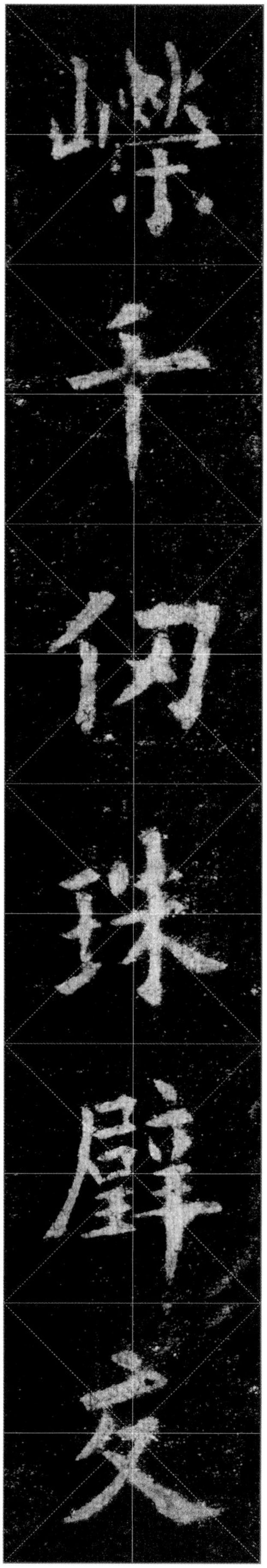
嵘千仞珠壁交

映金碧相晖照

灼云霞蔽亏日

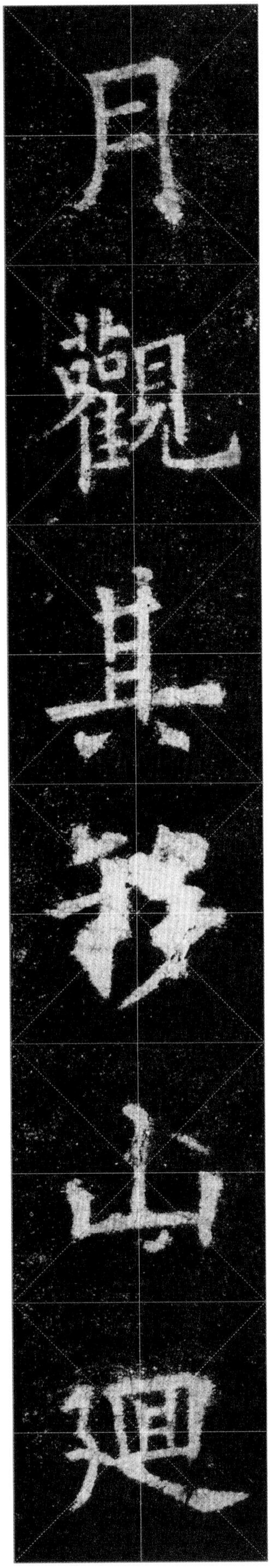

月观其移山回

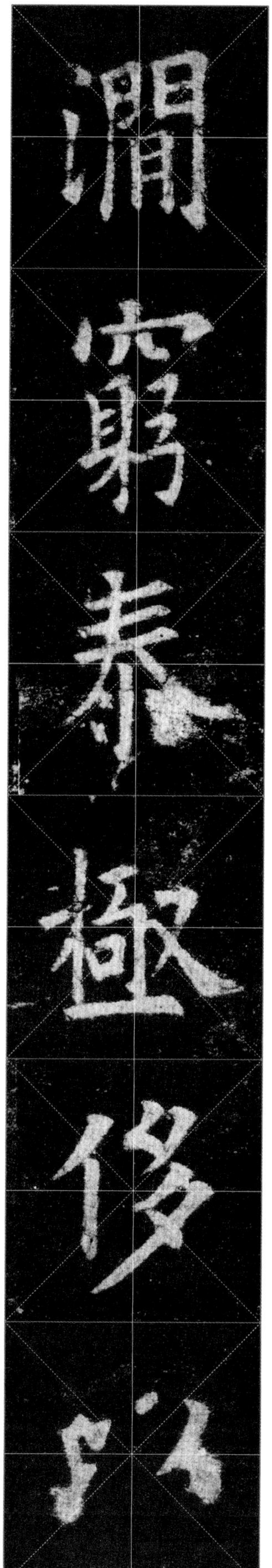

涧穷泰极侈以

人从欲良足深

尤至於炎景流

金无郁蒸之气

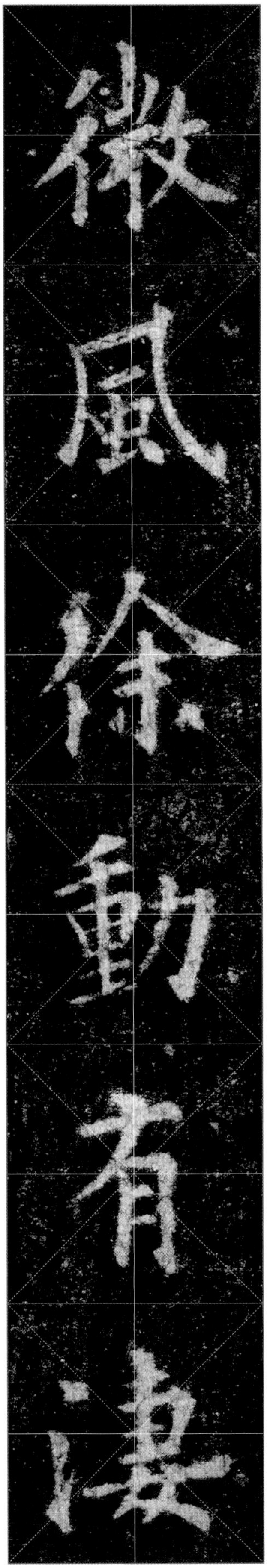

微风徐动有凄

清之凉信安体

之佳所誠養神

之佳所诚养神

之勝地漢之甘

之胜地汉之甘

泉不能尚也

泉不能尚也

皇帝爰在弱冠

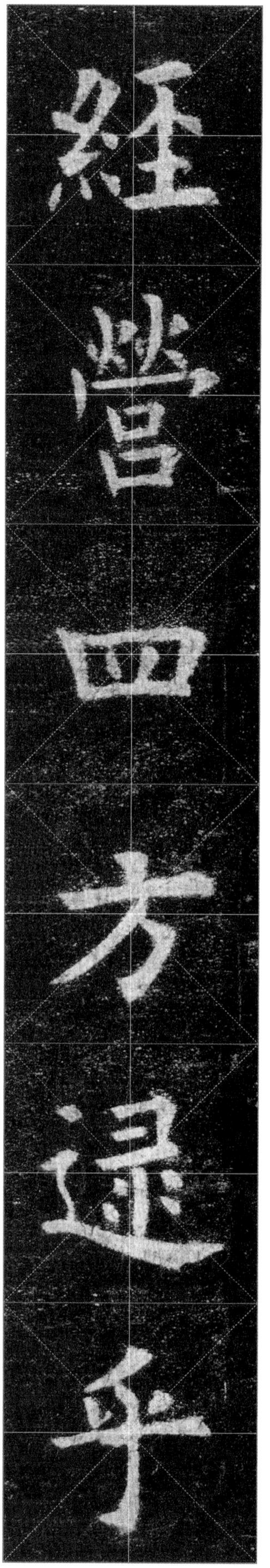

经营四方逮乎

立年抚临亿兆

始以武功壹海

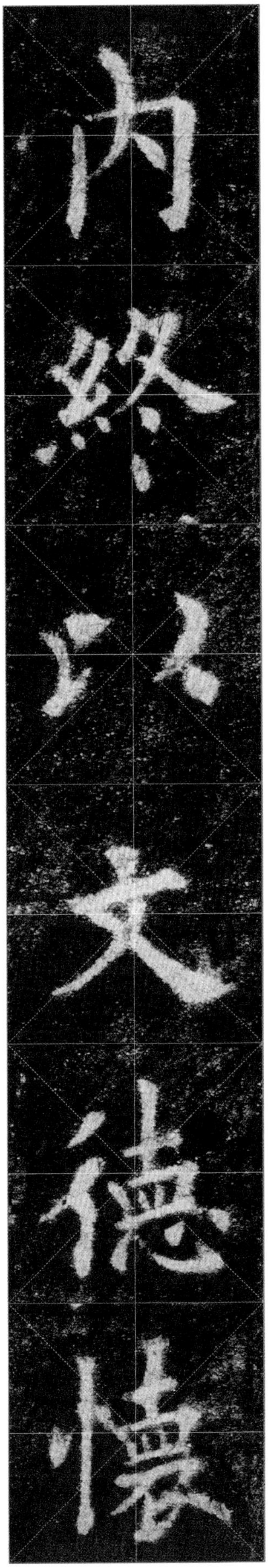

内终以文德怀

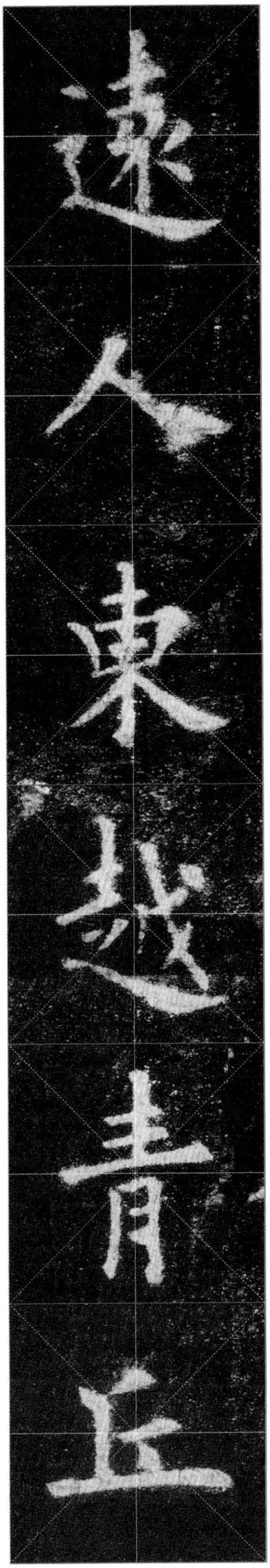

远人东越青丘

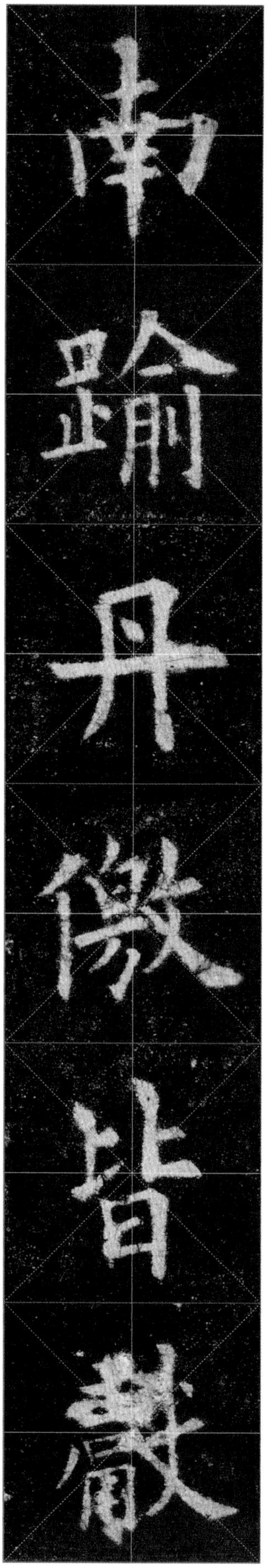

南逾丹徼皆献

琛奉贽重译来

王西暨轮台北

拒玄阙并地列

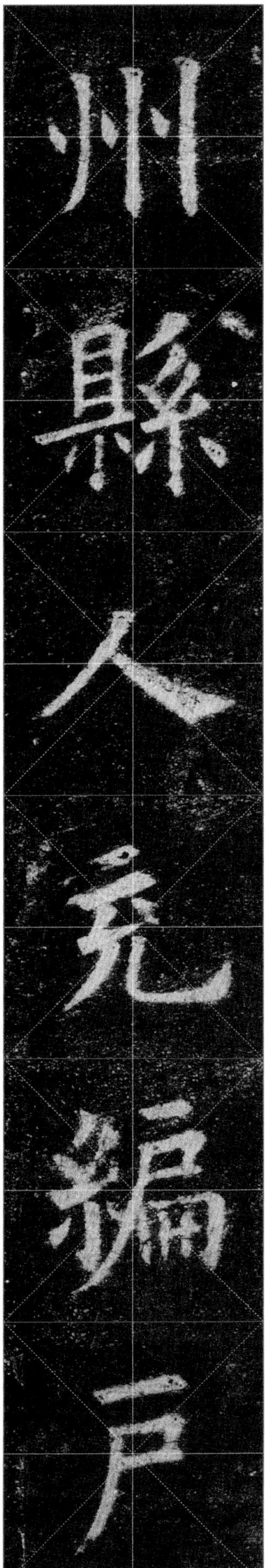

州县人充编户

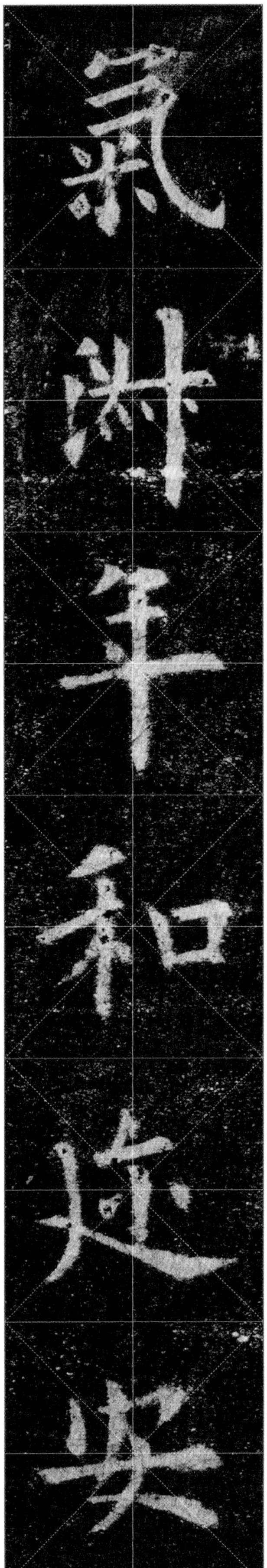

气淑年和迩安

远肃群生咸遂

灵贶毕臻虽藉

二仪之功终资

一人之虑遗身

利物栉风沐雨

百姓为心忧劳

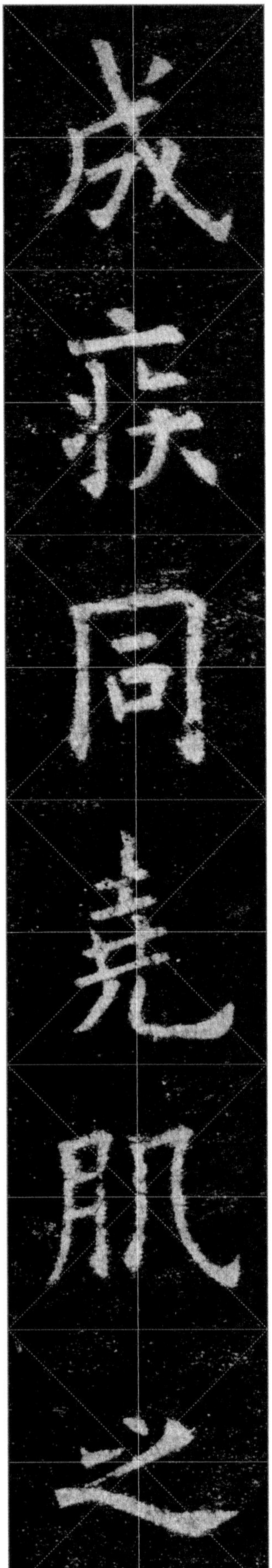

成疾同尧肌之

如腊甚禹足之

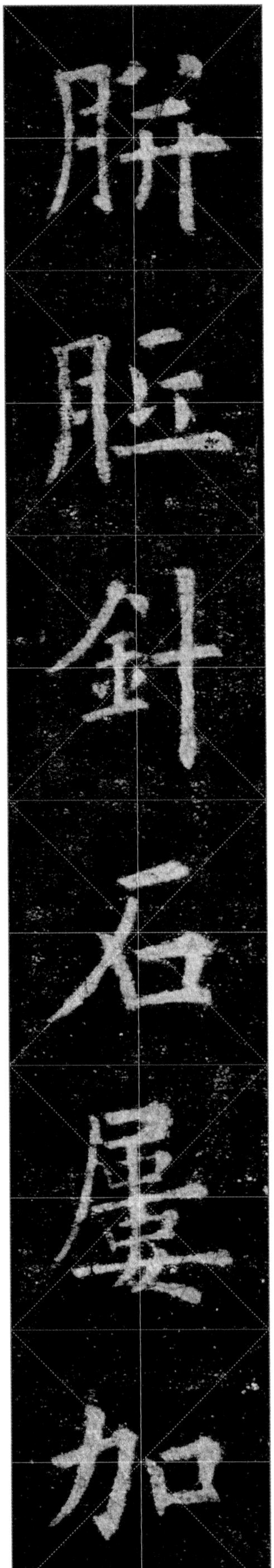

胼胝针石屡加

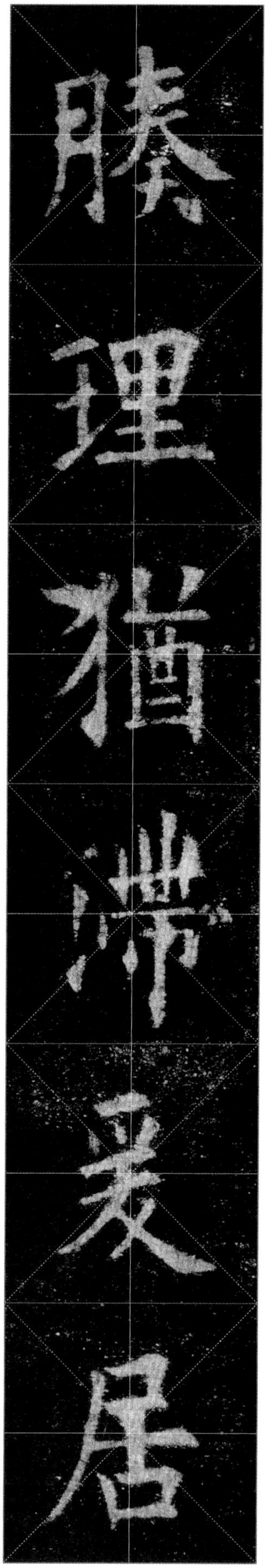

膝理犹滞爰居

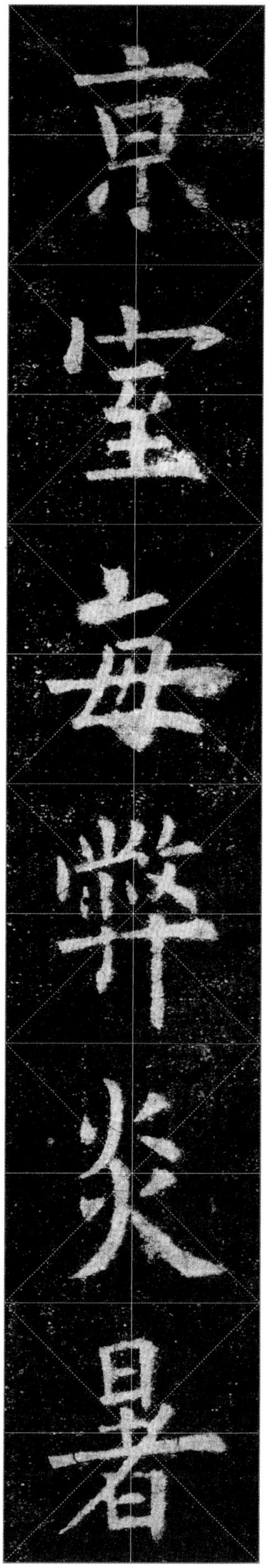

京室每弊炎暑

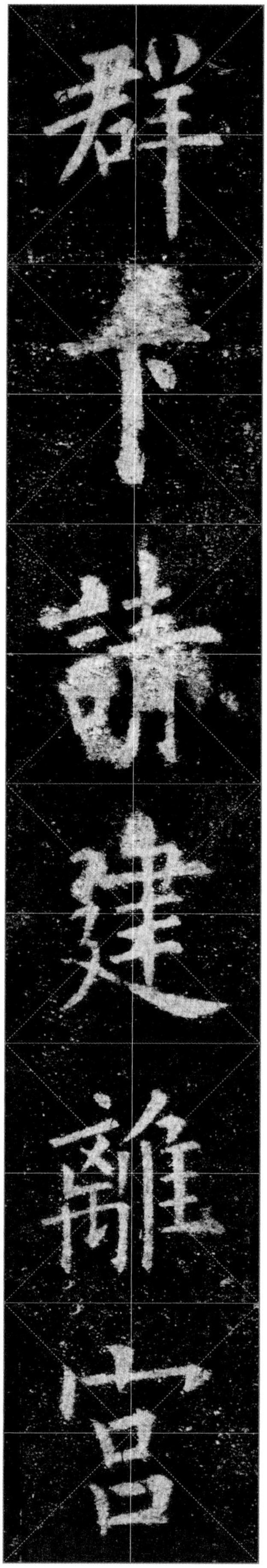

群下请建离宫

庶可怡神养性

圣上爱一夫之

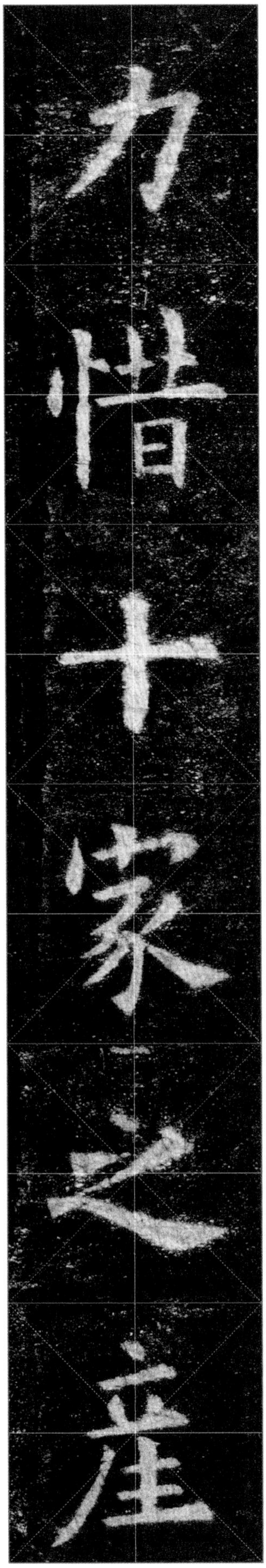

力惜十家之产

深閉固拒未肯

深闭固拒未肯

俯從以為隨氏

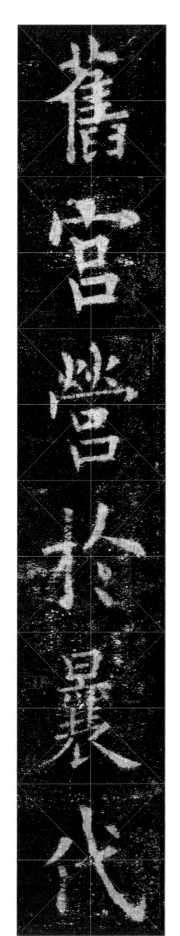

俯从以为随氏

舊宮營於曩代

旧宫营於曩代

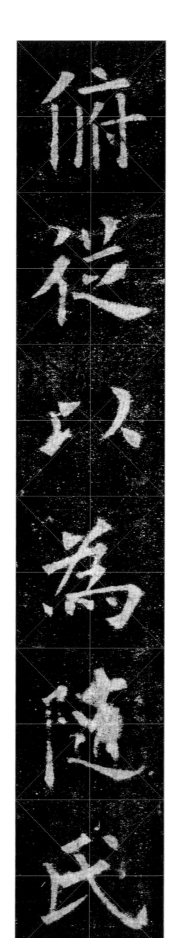

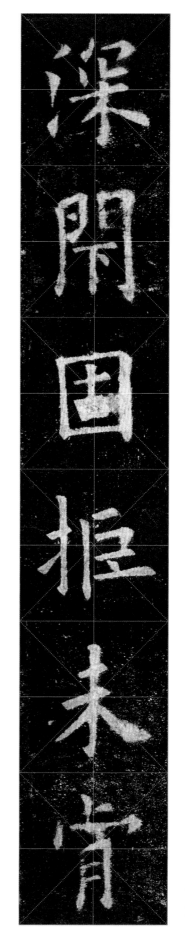

弃之则可惜毁

之则重劳事贵

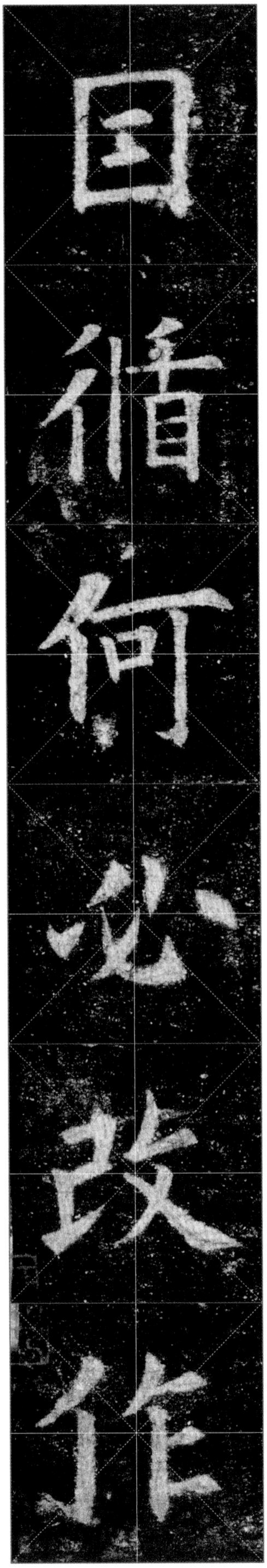

因循何必改作

於是斫雕为朴

损之又损去其

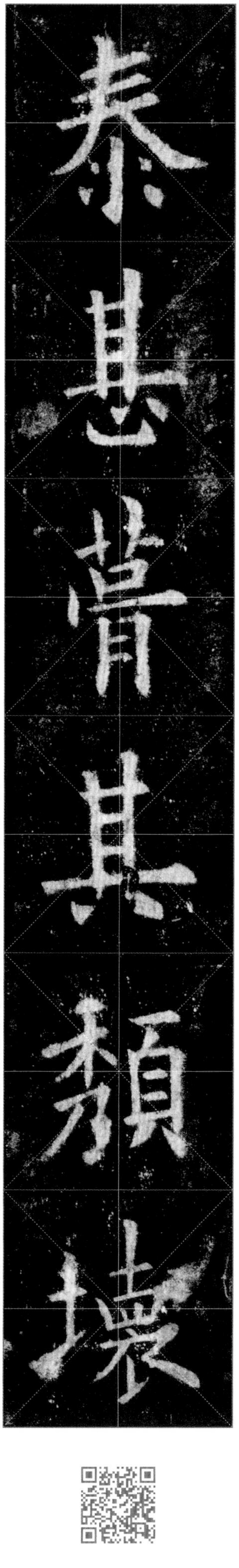

泰甚葺其颓坏

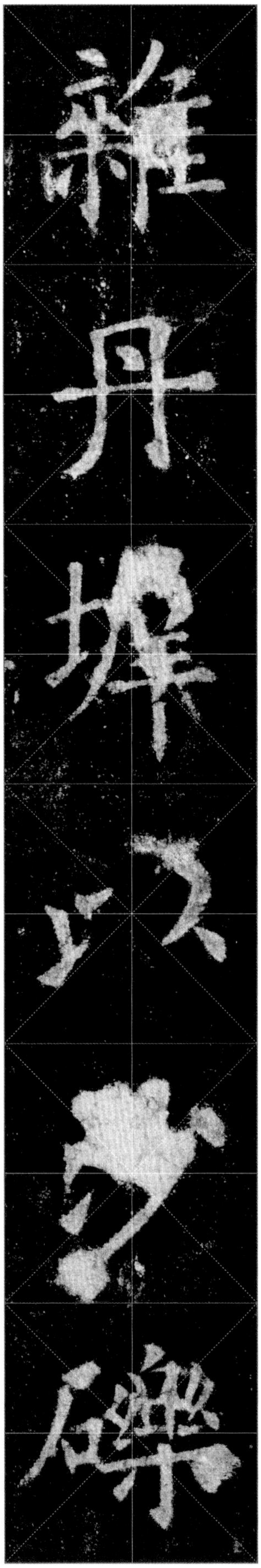

杂丹墀以沙砾

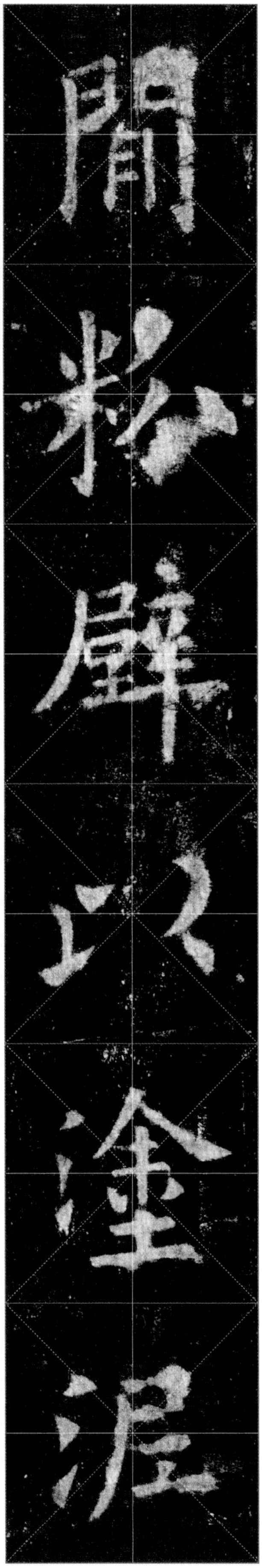

间粉壁以涂泥

玉砌接於土阶

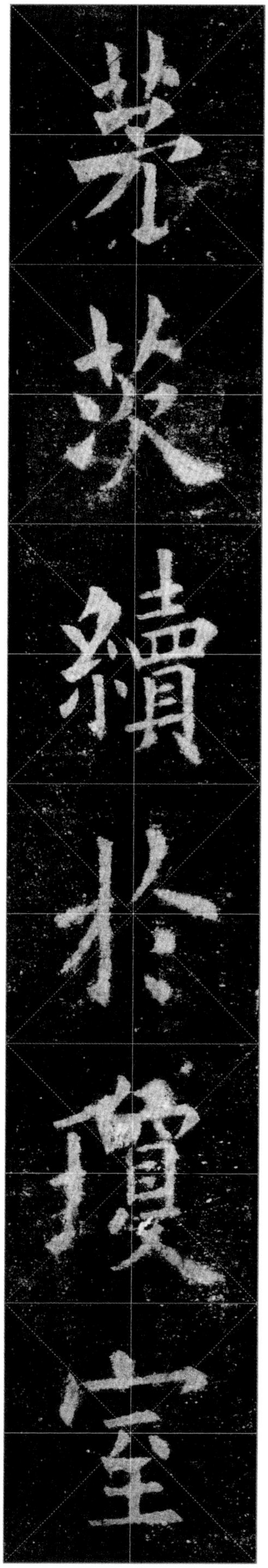
茅茨續於瓊室
茅茨续於琼室

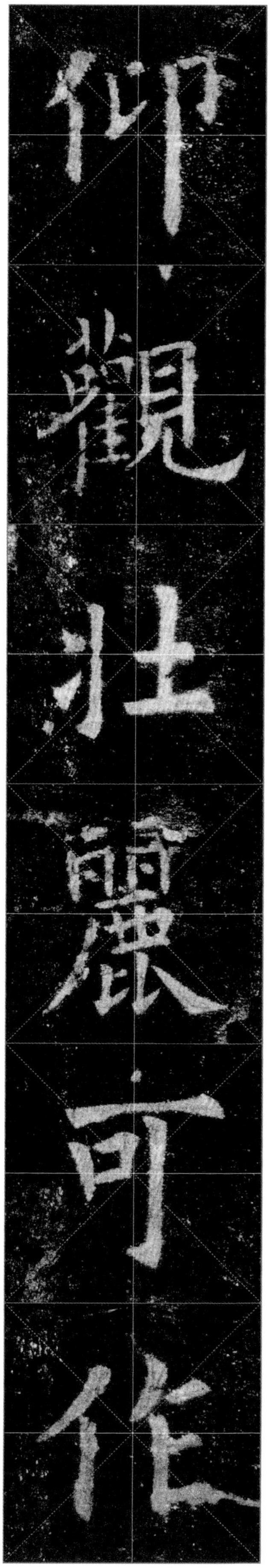
仰觀壯麗可作
仰观壮丽可作

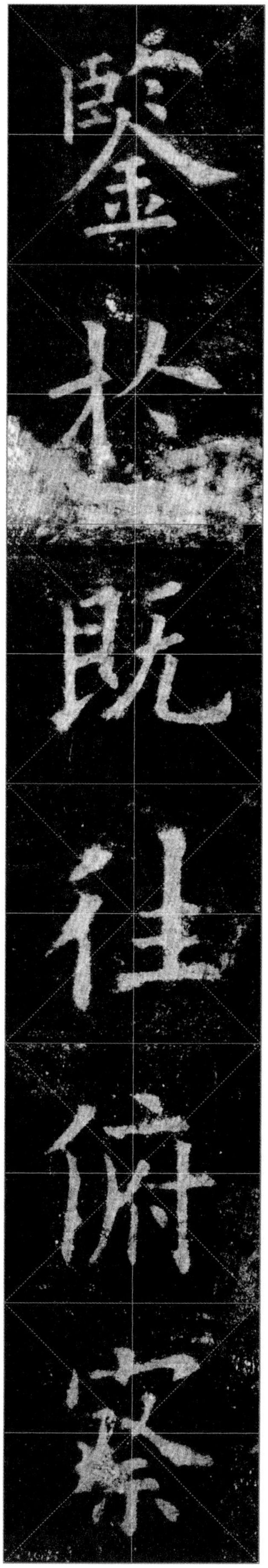
鑒於既往俯察
鉴於既往俯察

卑儉足垂訓於

卑俭足垂训於

後昆此所謂至

后昆此所谓至

人無為大聖不

人无为大圣不

作彼竭其力我

享其功者也然

昔之池沼咸引

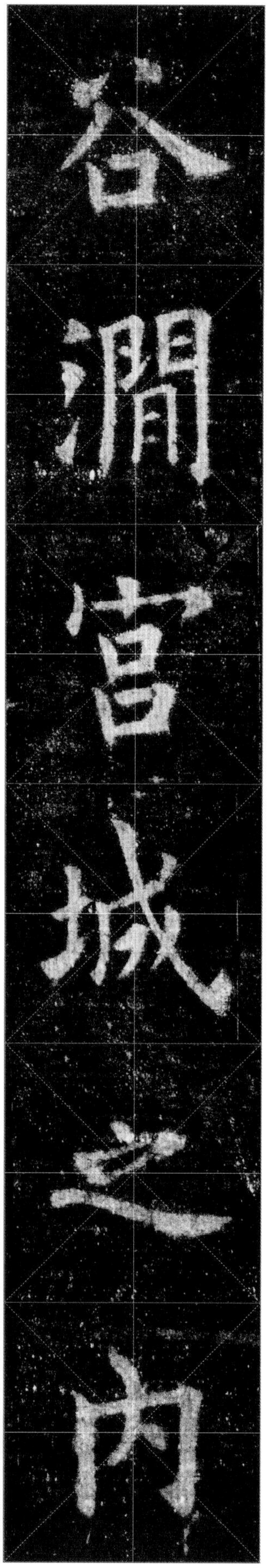

谷涧宫城之内

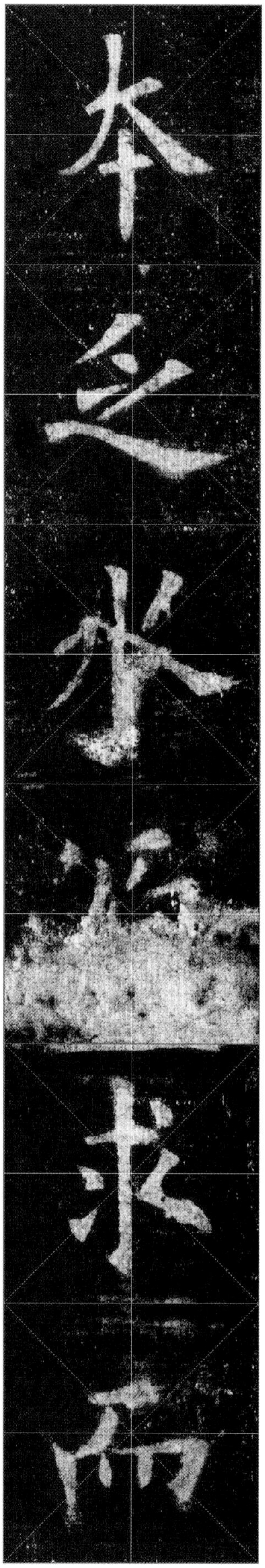

本乏水源求而

无之在乎一物

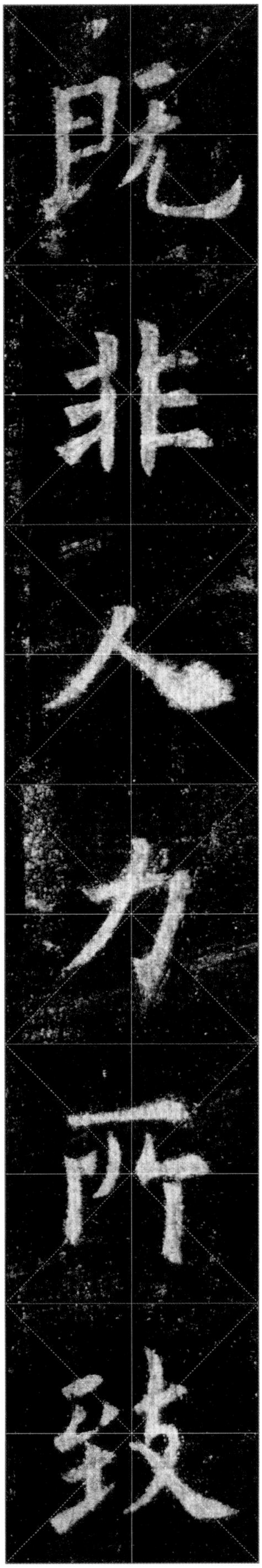

既非人力所致

圣心怀之不忘

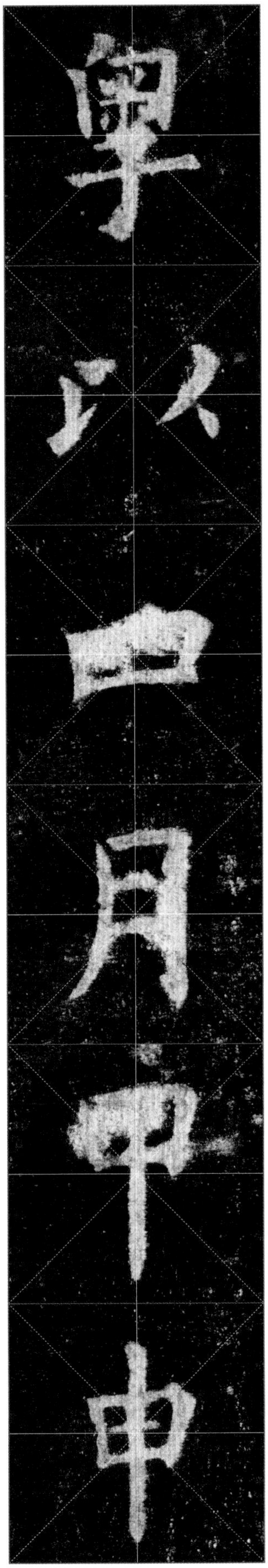

粤以四月甲申

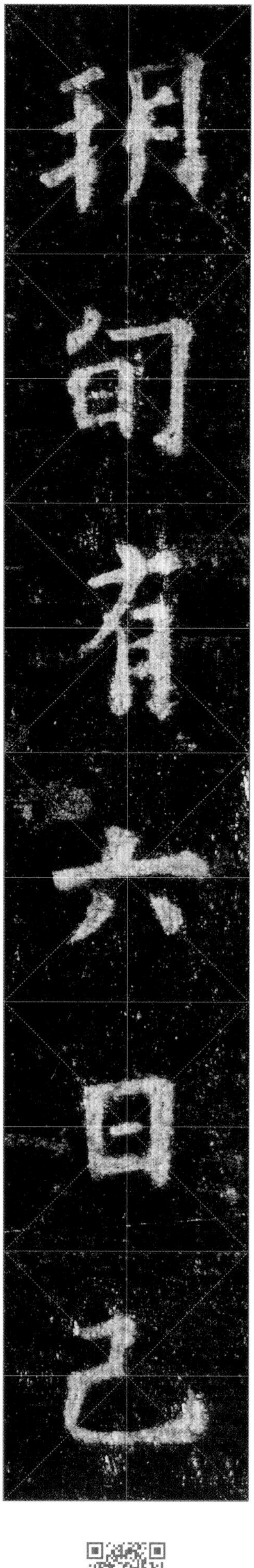

朔旬有六日己

亥　上及中宫

历览台观闲步

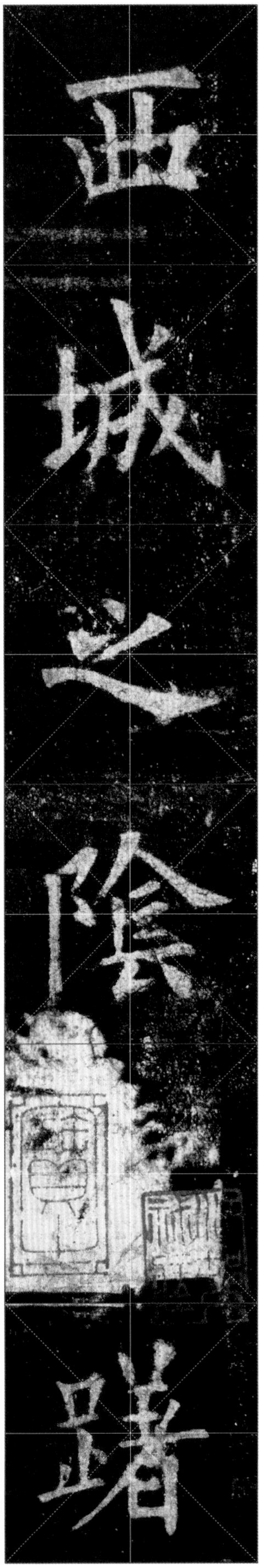

西城之阴踌躇

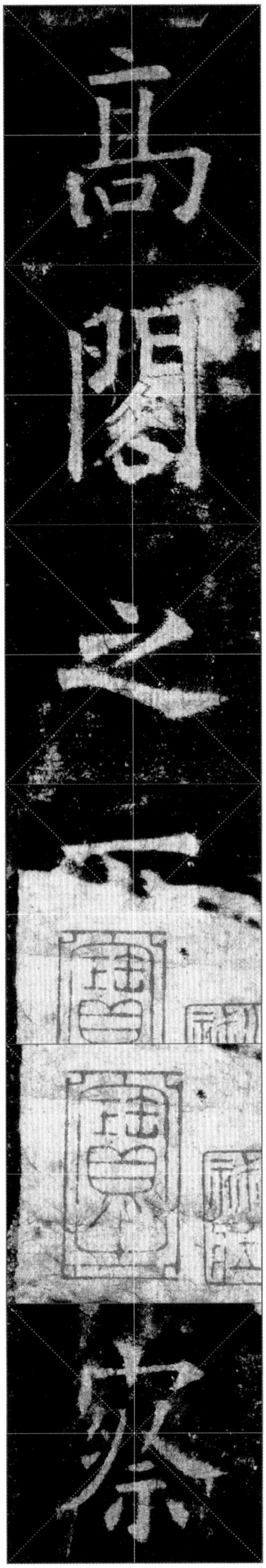

高阁之下俯察

厥土微觉有润

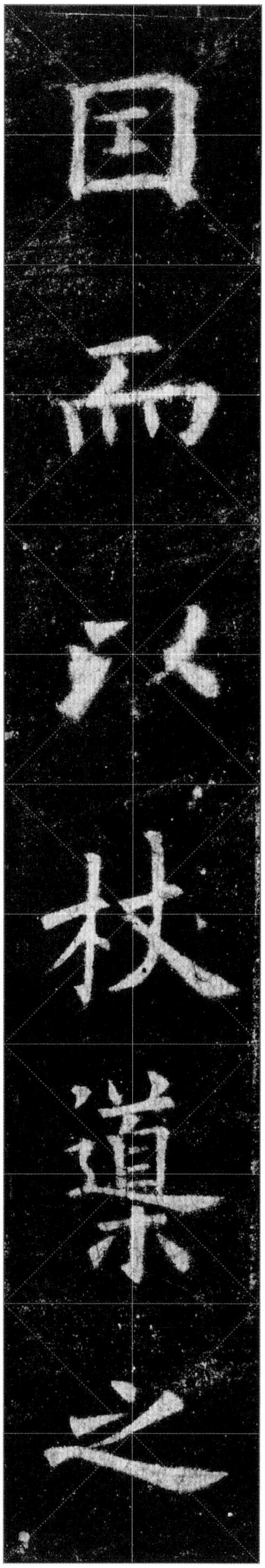

因而以杖导之

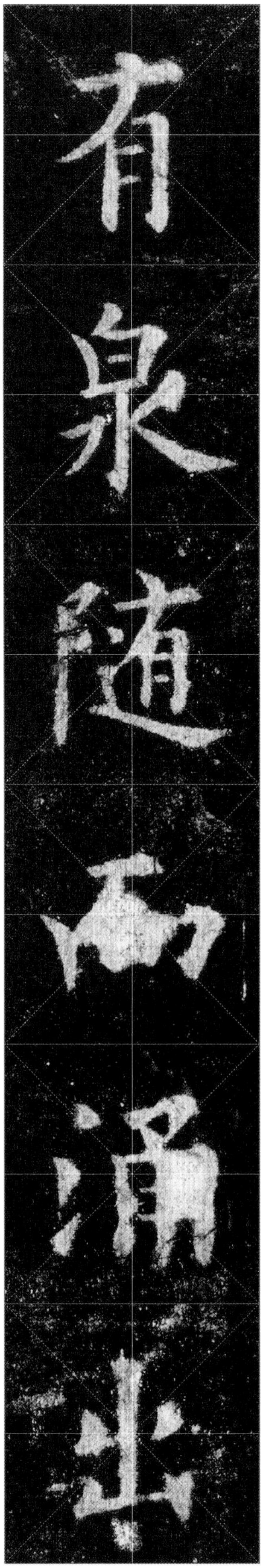

有泉随而涌出

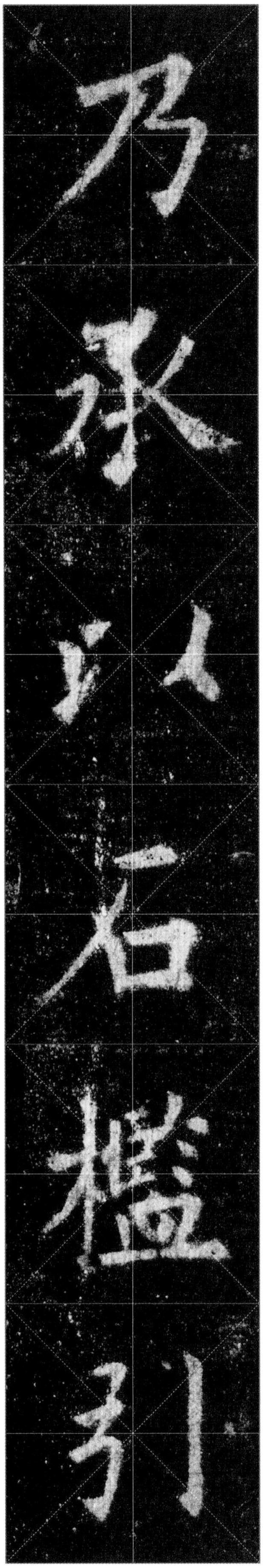

乃承以石槛引

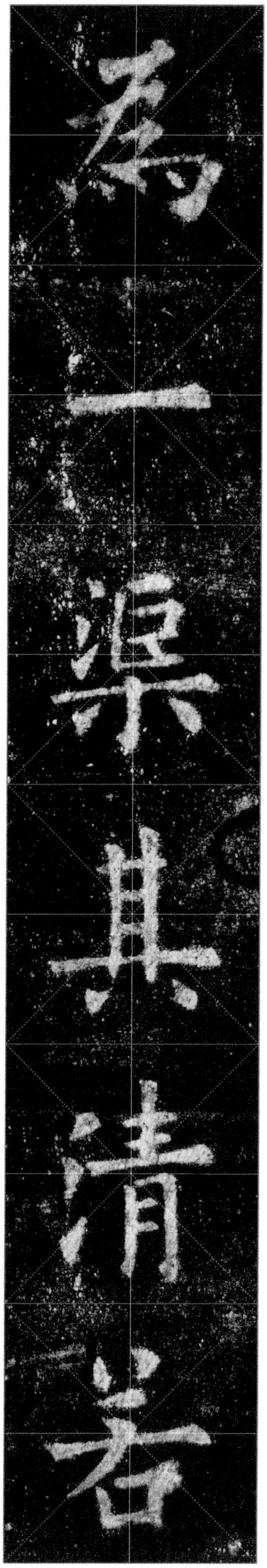

为一渠其清若

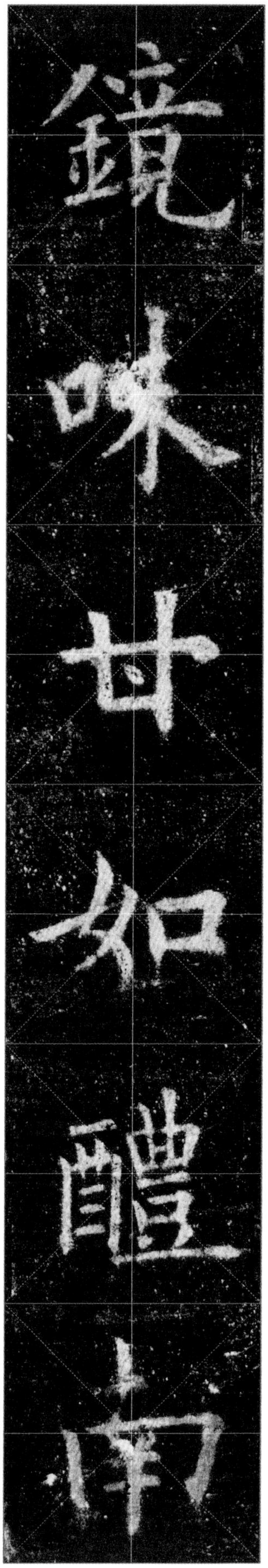

镜味甘如醴南

注丹霄之右东

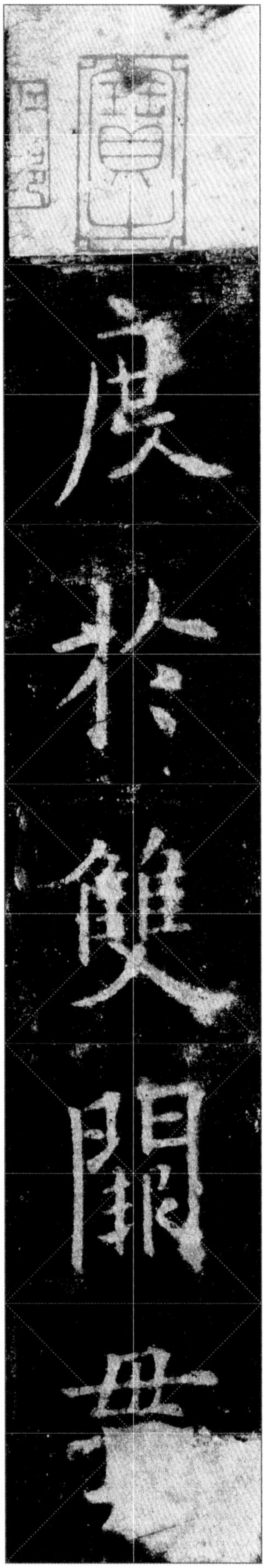

流
度於双阙
贯

穿
青琐萦带紫

房激扬清波涤

荡瑕秽可以导

养正性可以澄

莹心神鉴映群

形润生万物同

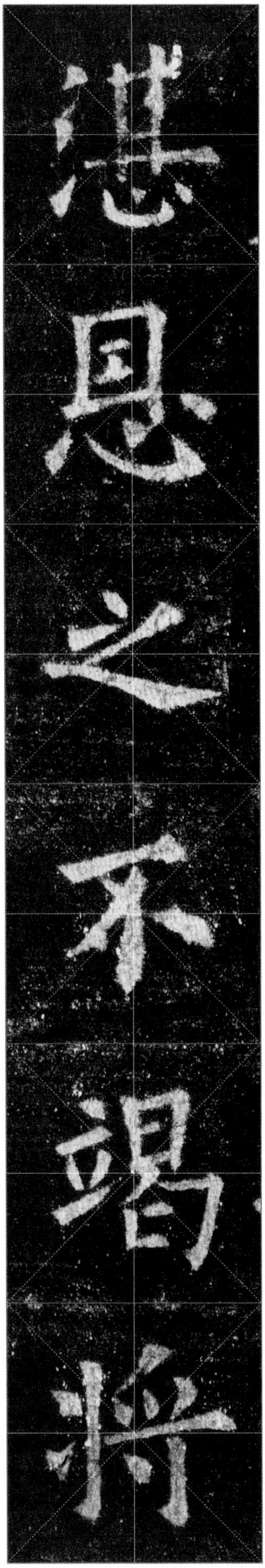

湛恩之不竭将

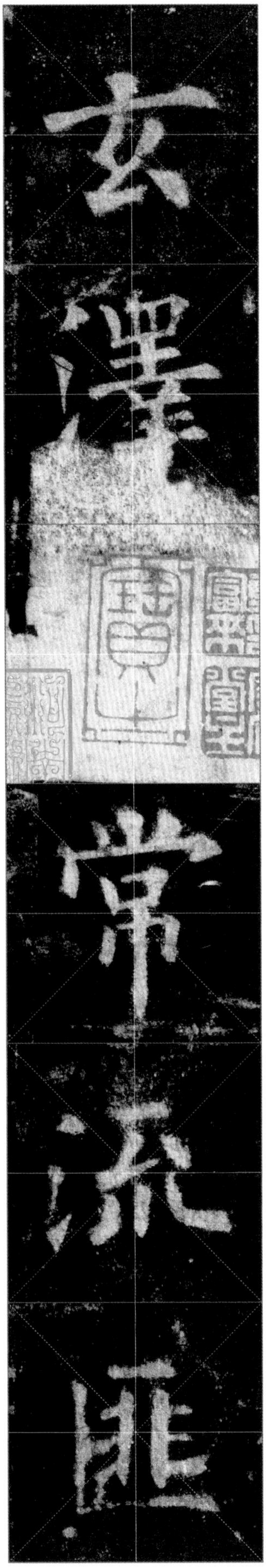

玄泽之常流匪

唯乾象之精盖

亦坤灵之宝谨

案礼纬云王者

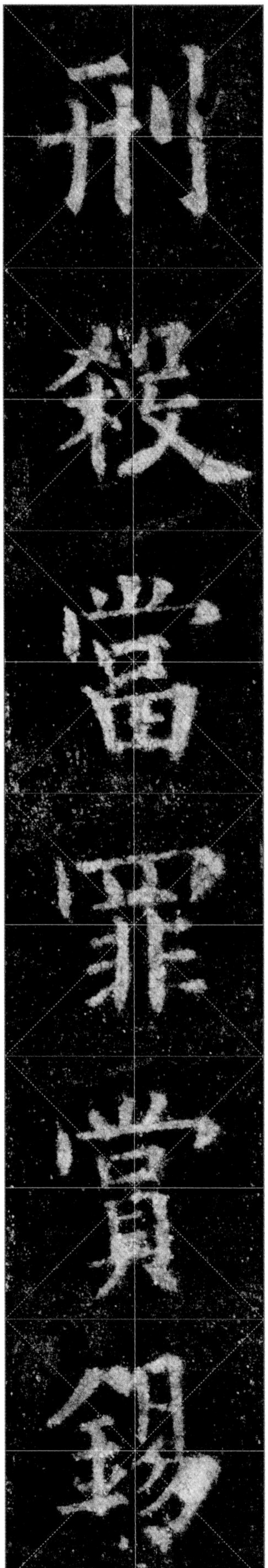

刑杀当罪赏锡

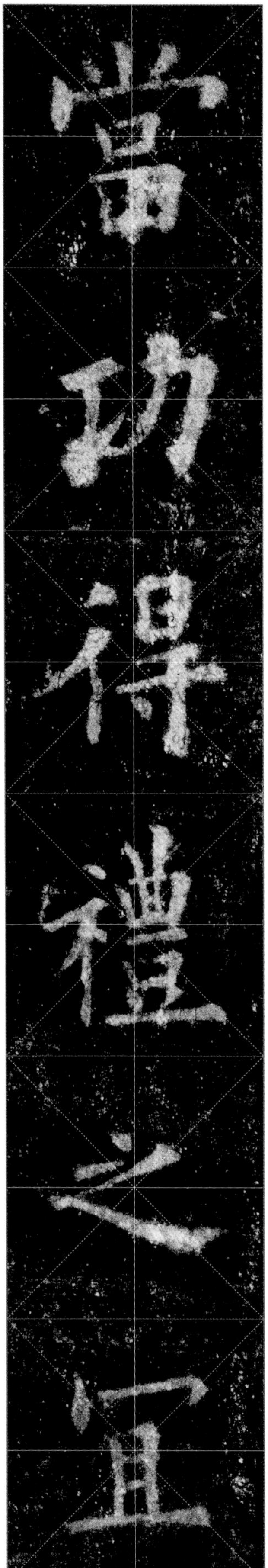

当功得礼之宜

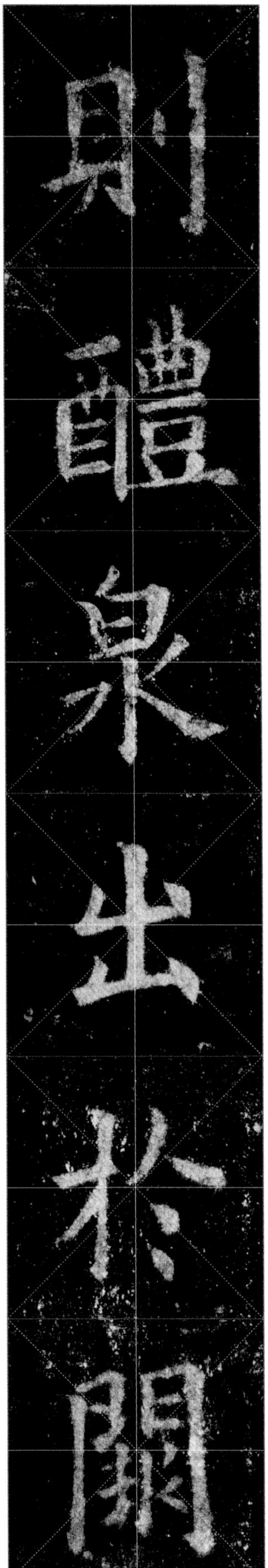

则醴泉出於阙

庭鹖冠子曰圣

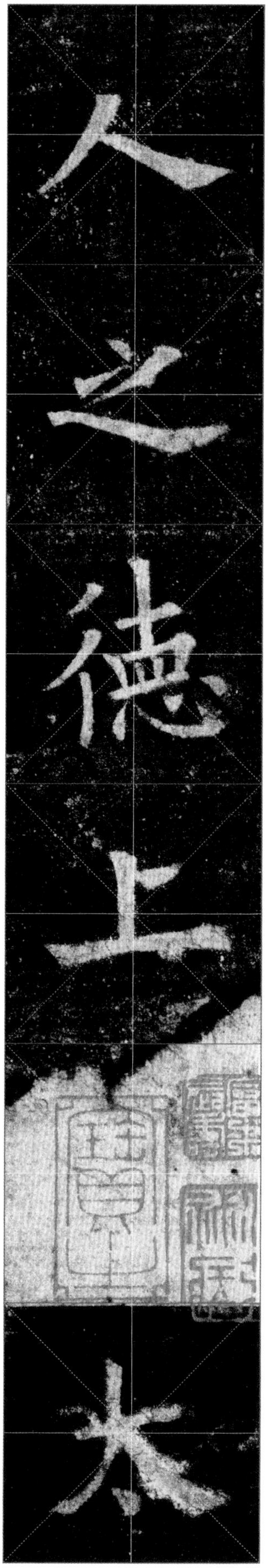

人之德上及太

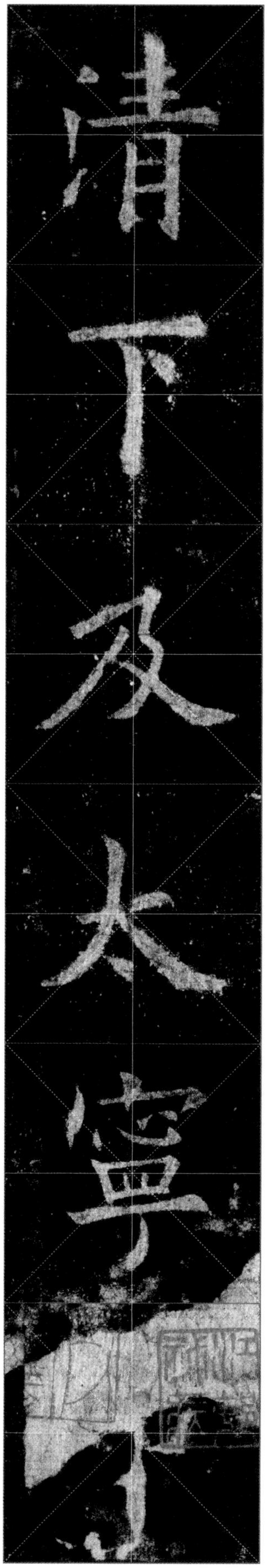

清下及太宁中

及万灵则醴泉

出瑞应图曰王

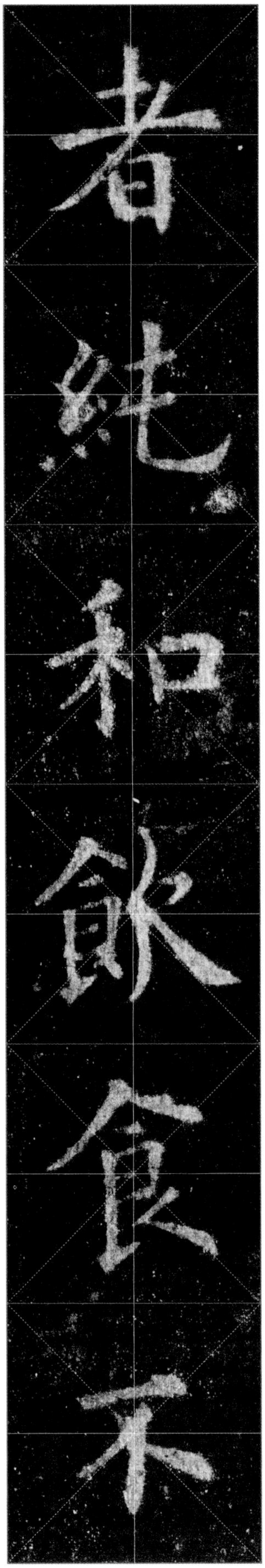

者纯和饮食不

貢獻則醴泉出

贡献则醴泉出

飲之令人壽東

饮之令人寿东

觀漢記曰光武

观汉记曰光武

中元元年醴泉

出京师饮之者

痼疾皆愈然则

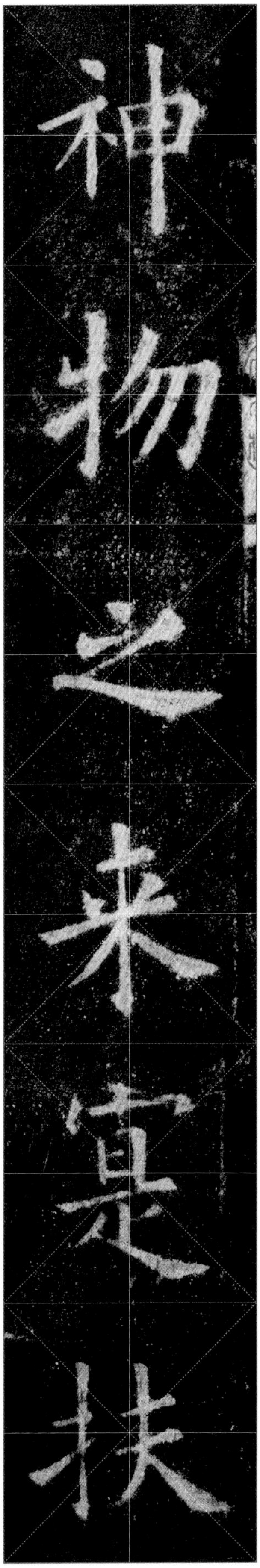

神物之来实扶

明圣既可蠲兹

沉痼又将延彼

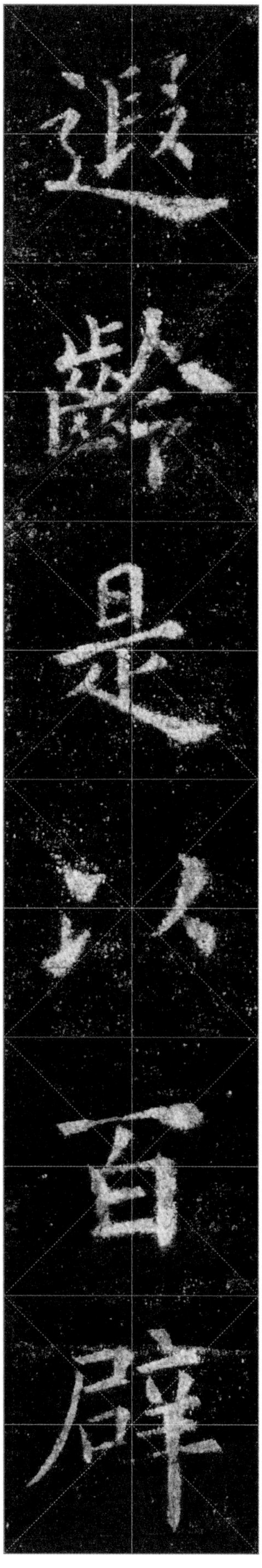

遐龄是以百辟

卿士相趋动色

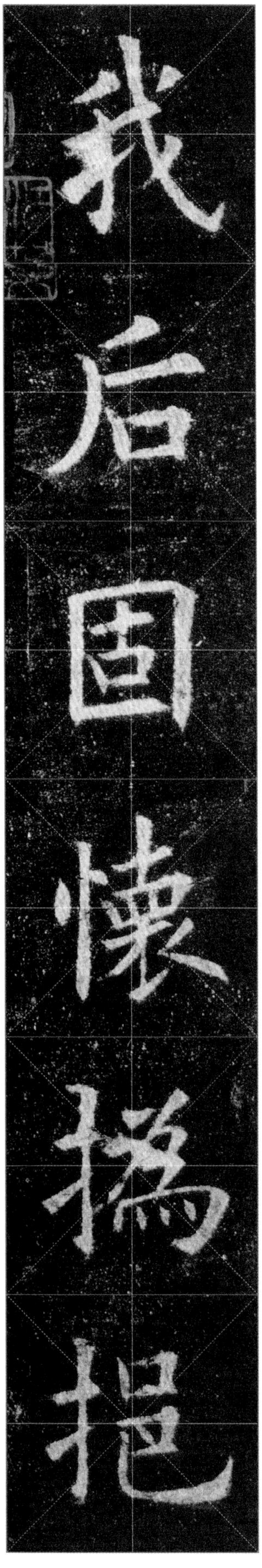

我后固怀㧑挹

推 而弗有虽休

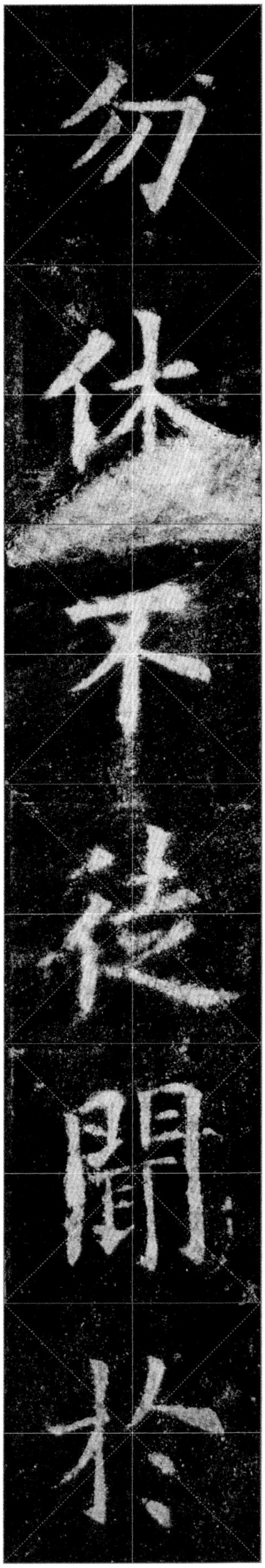

勿休不徒闻於

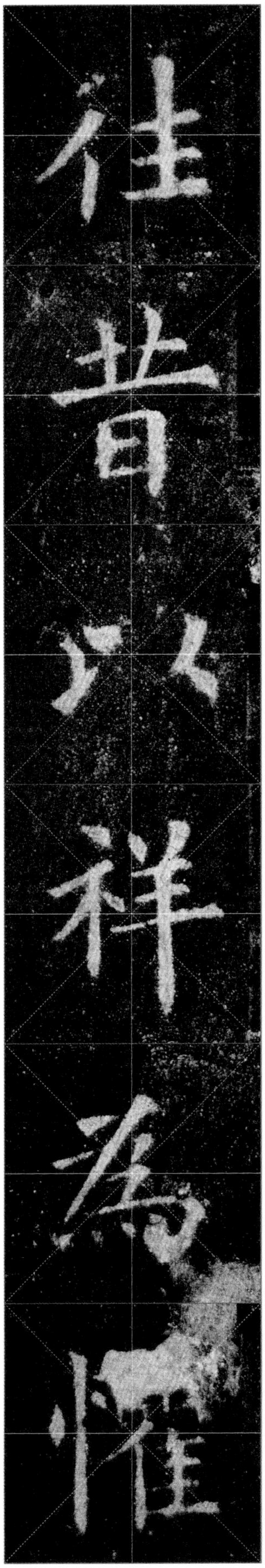

往昔以祥为惧

实取验於当今

斯乃　上帝玄

苻（符）　天子令德

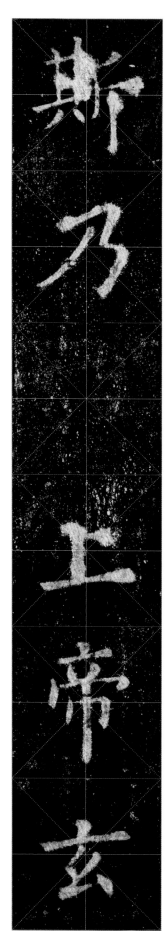

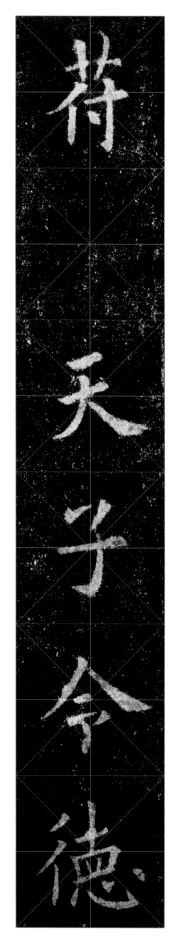

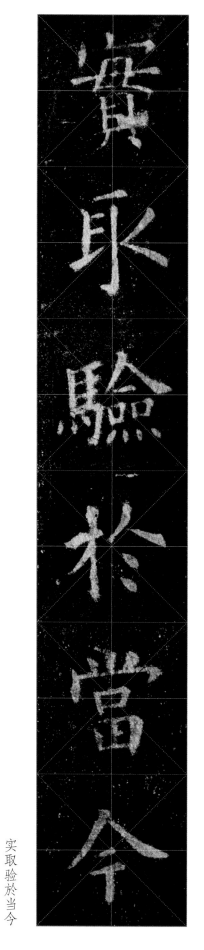

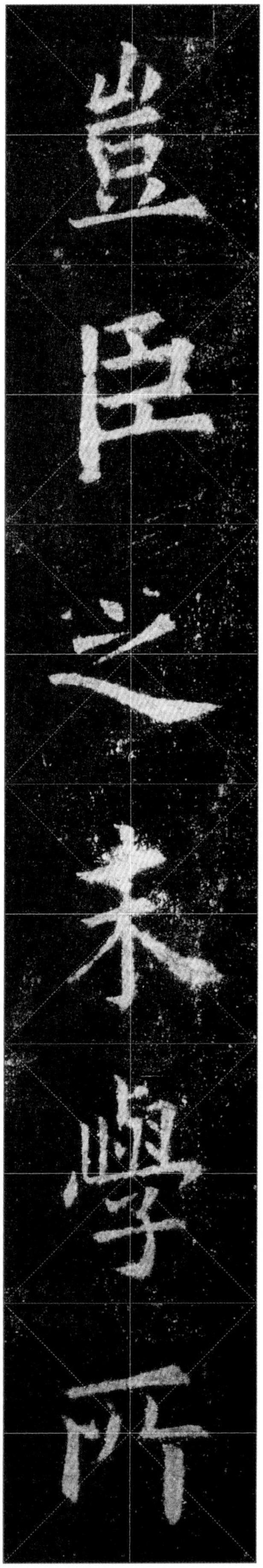

岂臣之末学所

能丕显但职在

记言属兹书事

不可使国之盛

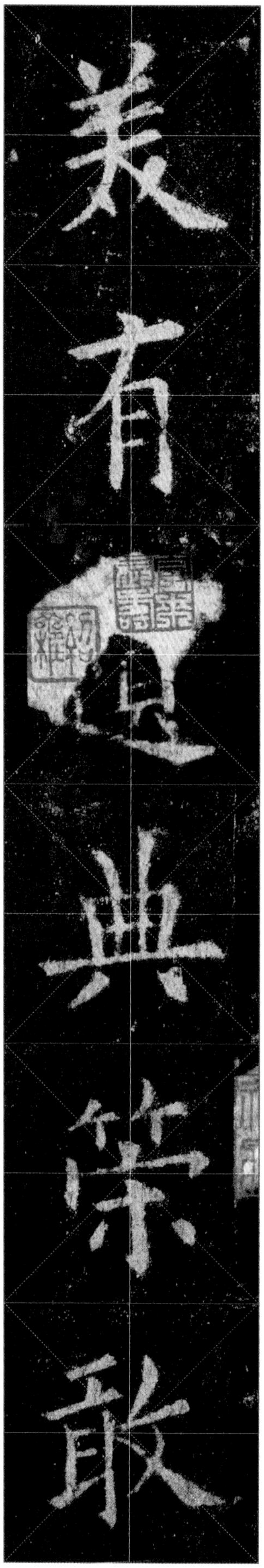

美有遗典策敢

陈实录爰勒斯

铭其词曰 惟

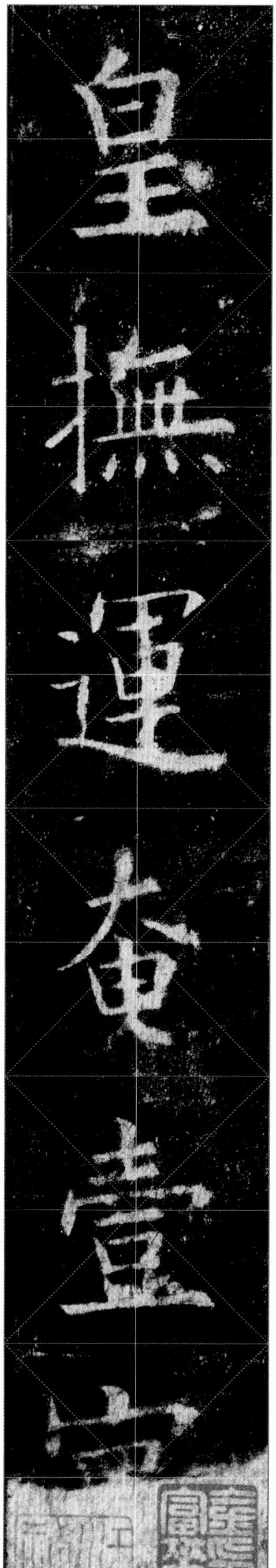

皇抚运奄壹寰

宇千载膺期万

物斯睹功高大

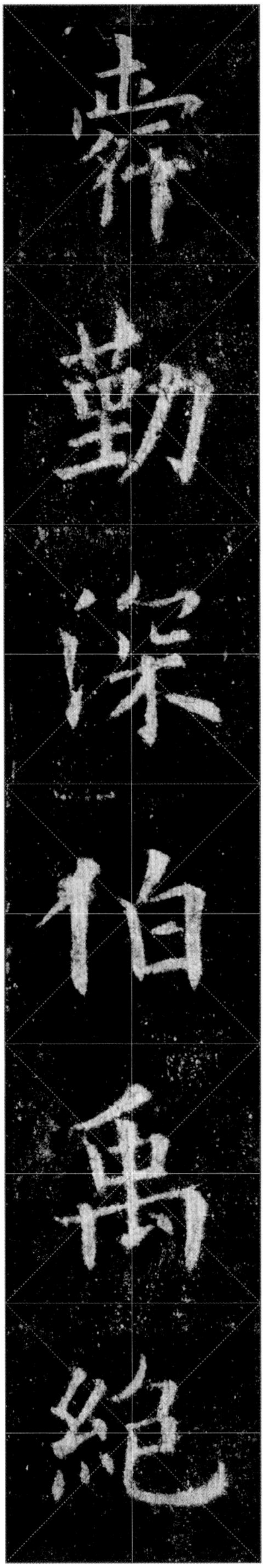

舜勤深伯禹绝

后光前登三迈

五握机蹈矩乃

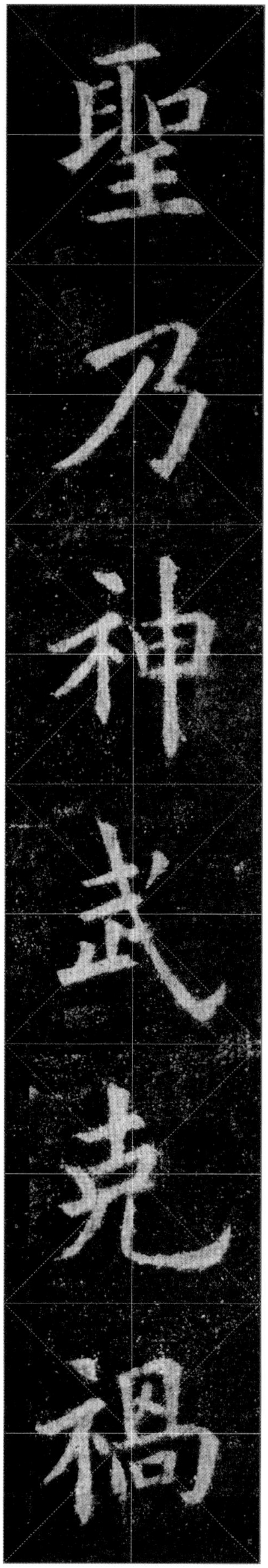

圣乃神武克祸

乱文怀远人书

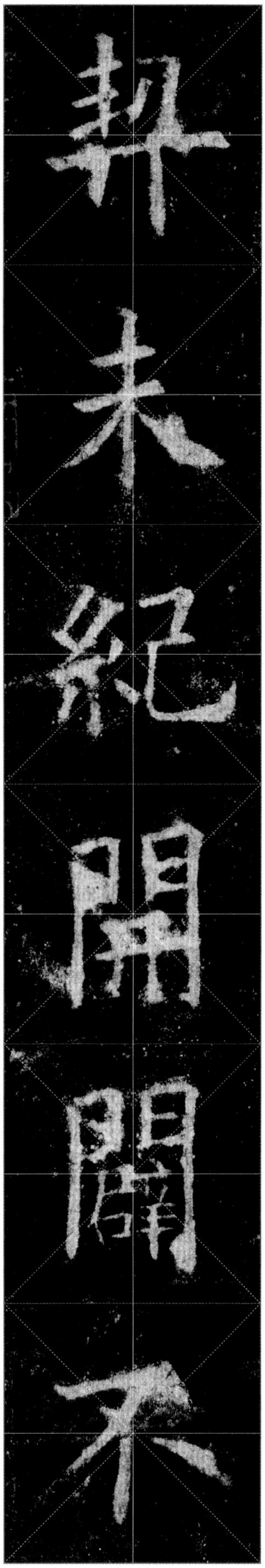

契未纪开辟不

臣冠冕并袭琛

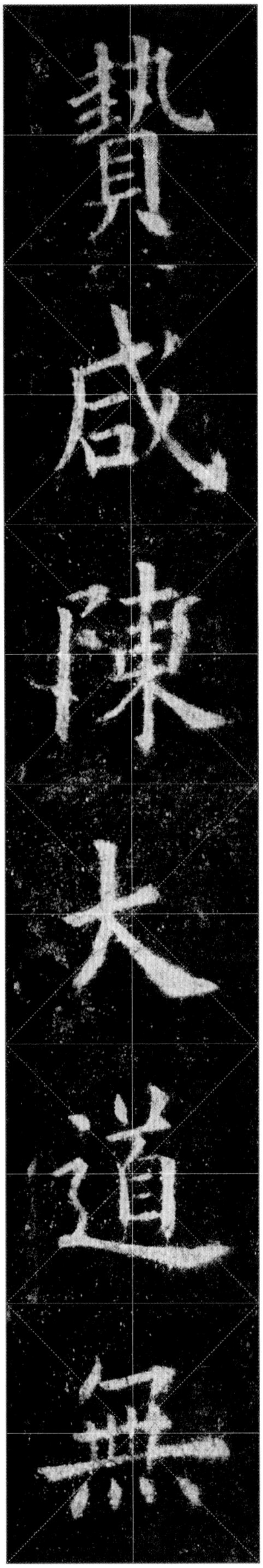

贽咸陈大道无

名上德不德玄

功潜运几深莫

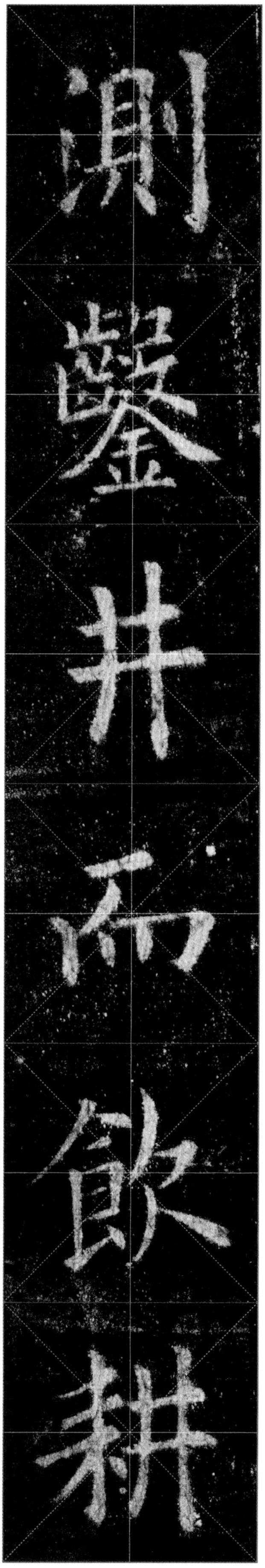

测蠡井而饮耕

田而食靡谢天

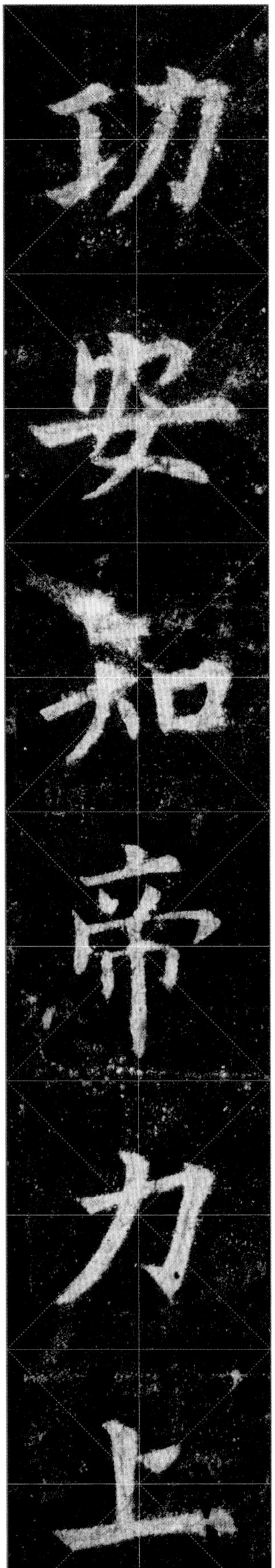

功安知帝力上

天之载无臭无

声万类资始品

物流形随感变

质应德效灵介

焉如响赫赫明

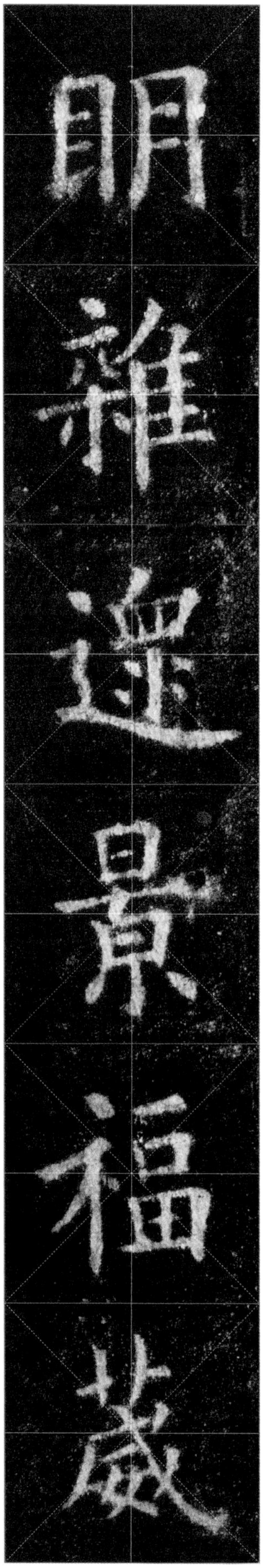

明杂沓景福葳

蕤繁祉云氏龙

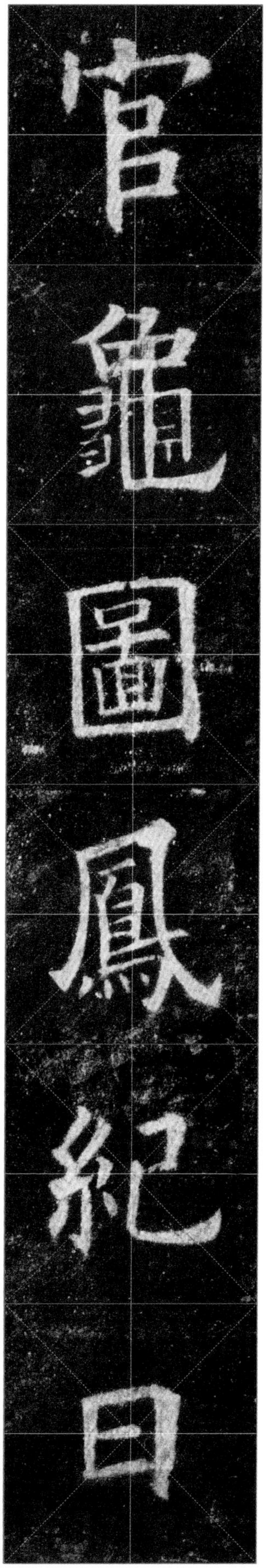
官龜圖鳳紀日
官龟图凤纪日

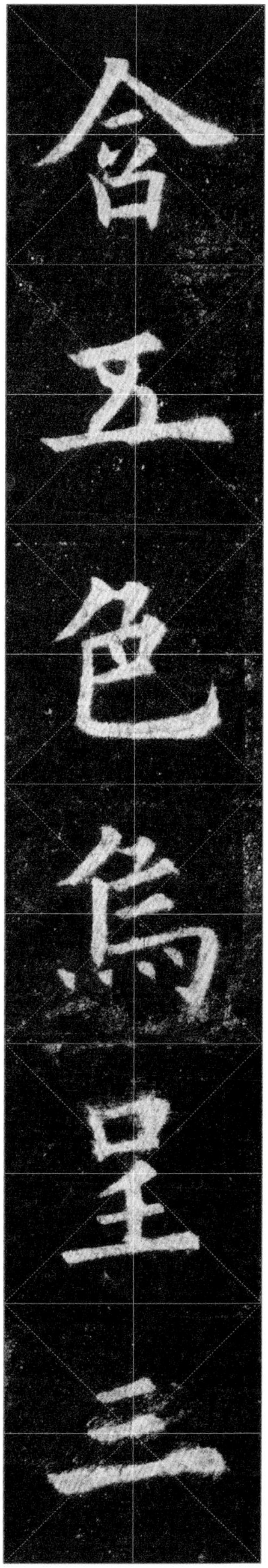
含五色鳥呈三
含五色乌呈三

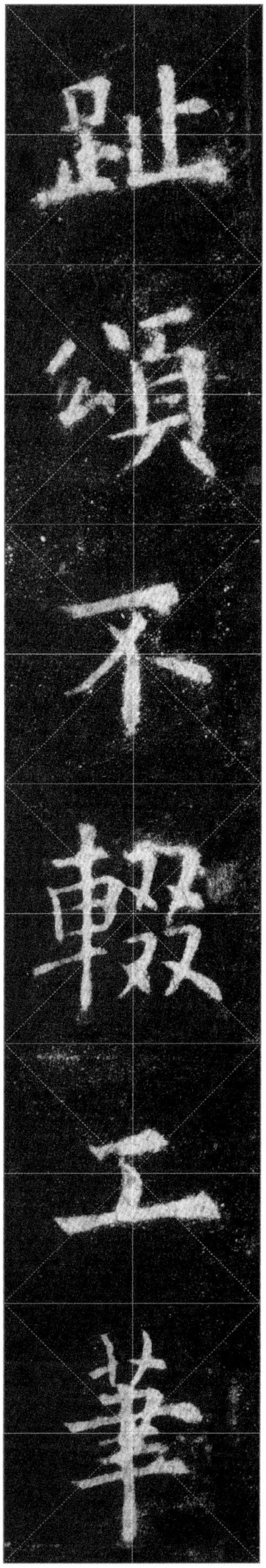
趾頌不輟工筆
趾颂不辍工笔

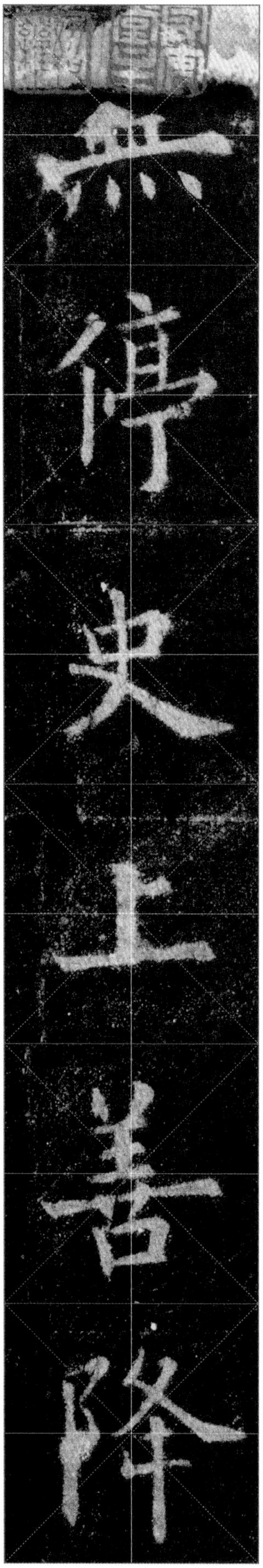

无停史上善降

祥上智斯悦流

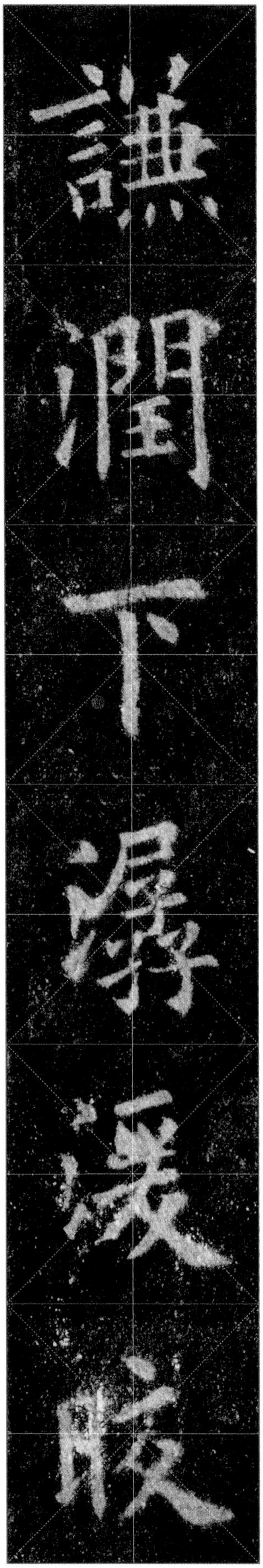

谦润下潺湲皎

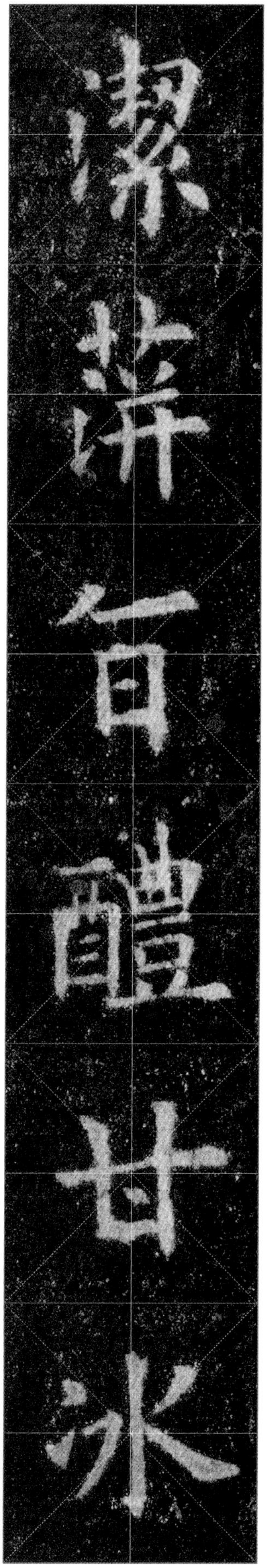

洁萍旨醴甘冰

凝镜澈用之日

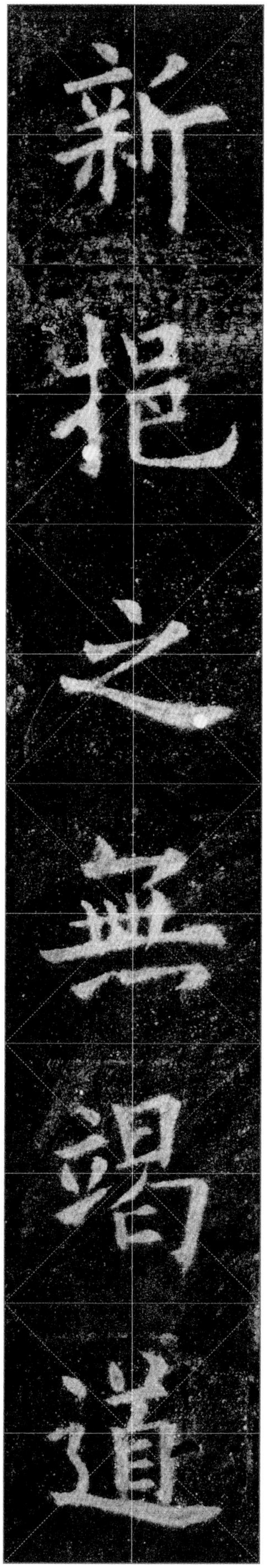

新挹之无竭道

随时泰庆与泉

流　我后夕惕

虽休弗休居崇

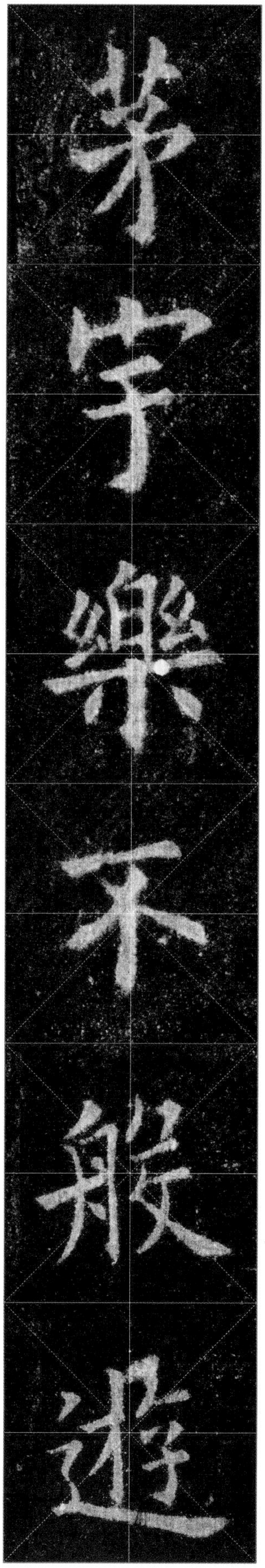

茅宇乐不般游

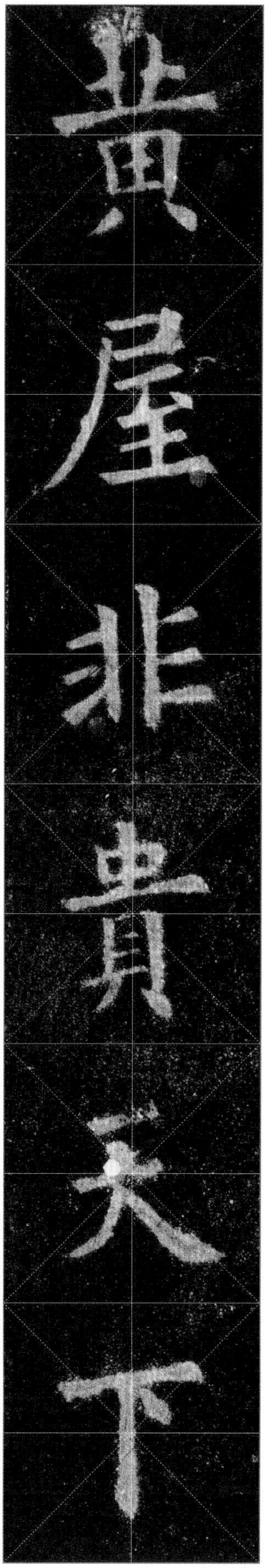

黄屋非贵天下

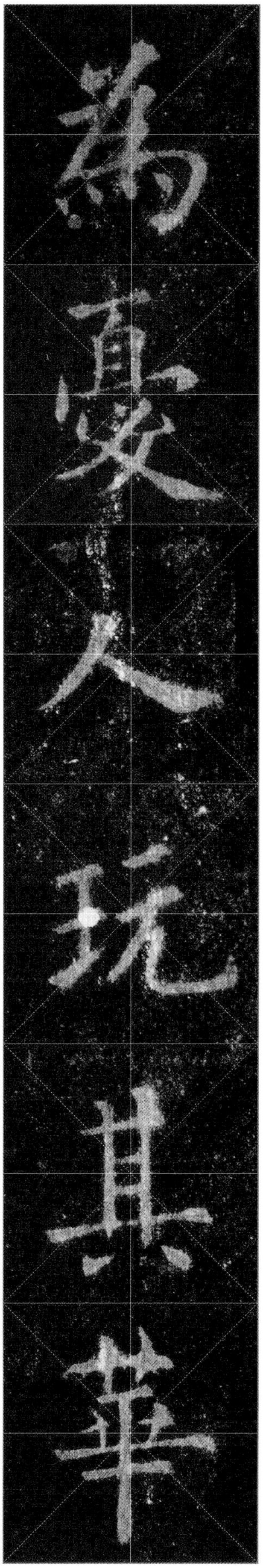

为忧人玩其华

我取其实还淳

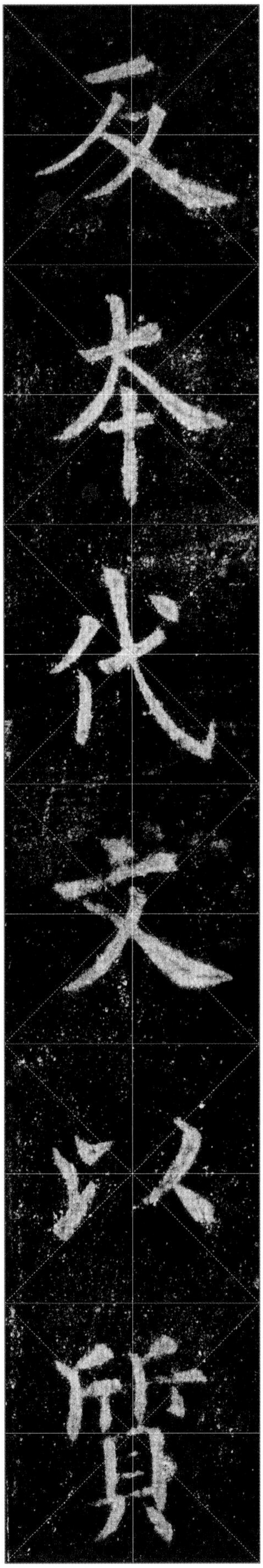

反本代文以质

居高思坠持满

戒[溢]念兹在兹

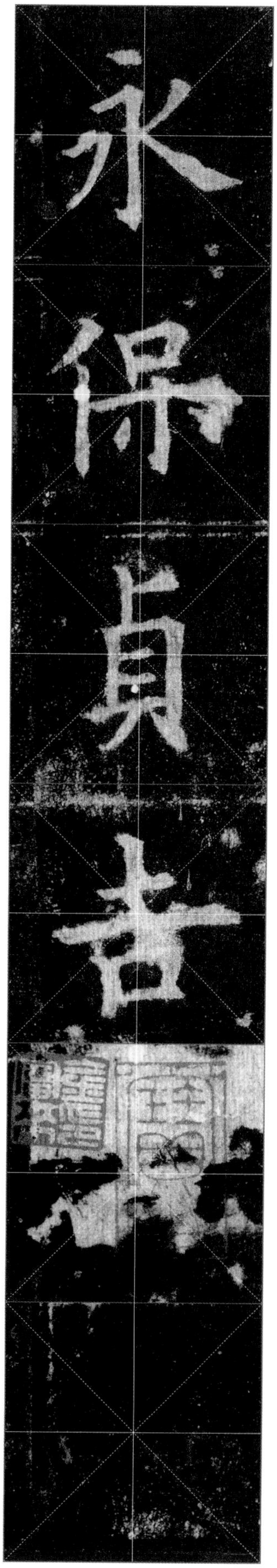

永保贞吉

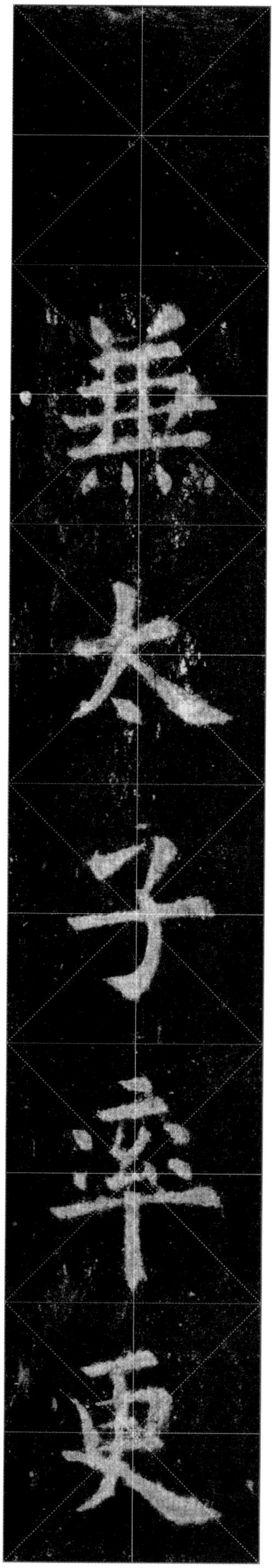

兼太子率更

令勃海男臣

欧阳询奉

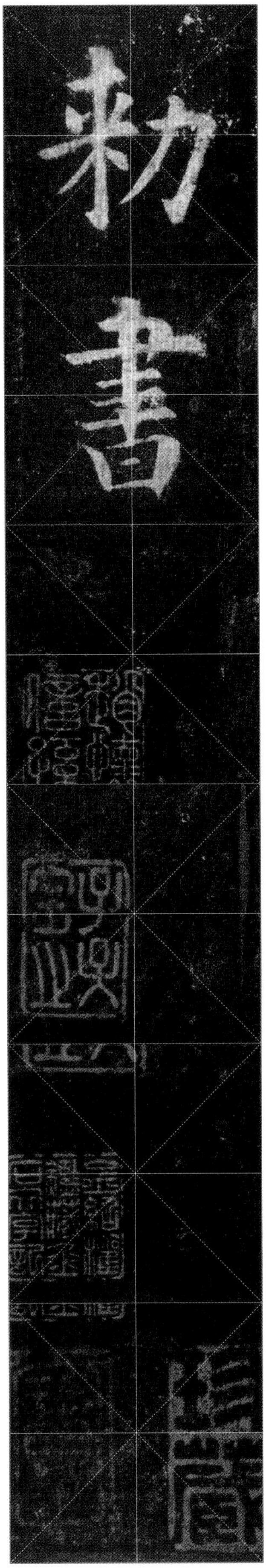

敕书

铭

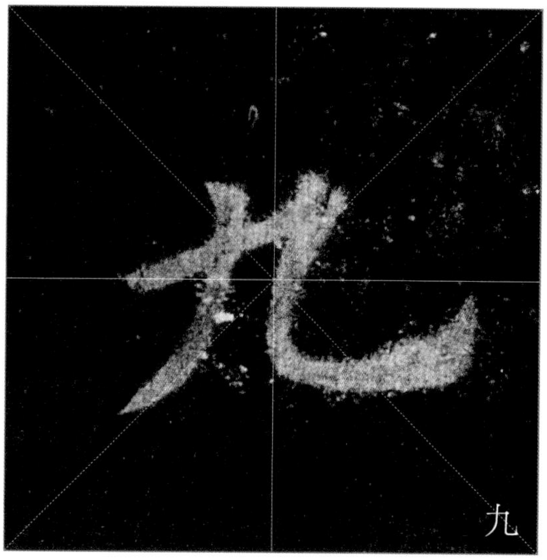
九

鹿

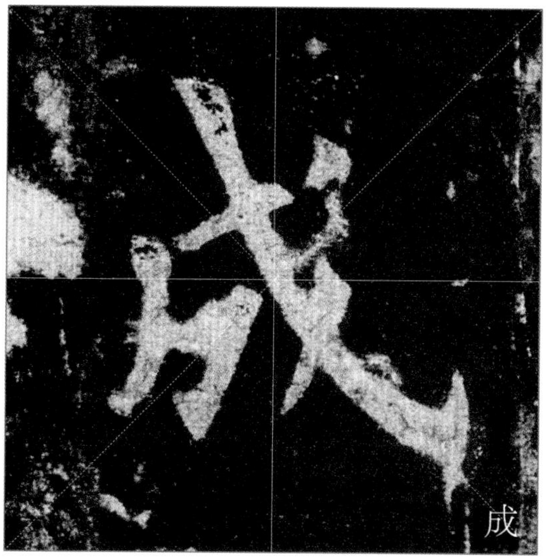
成

郡

泉

孟

徵

夏

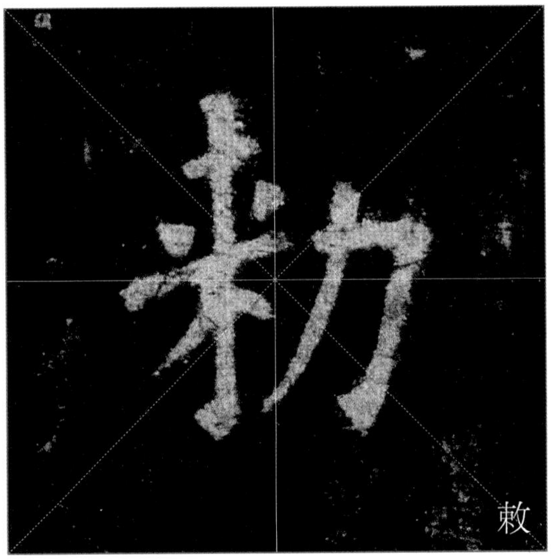
敕

乎

观

跨

此

楹

随

建

寿

差

长

仰

廊

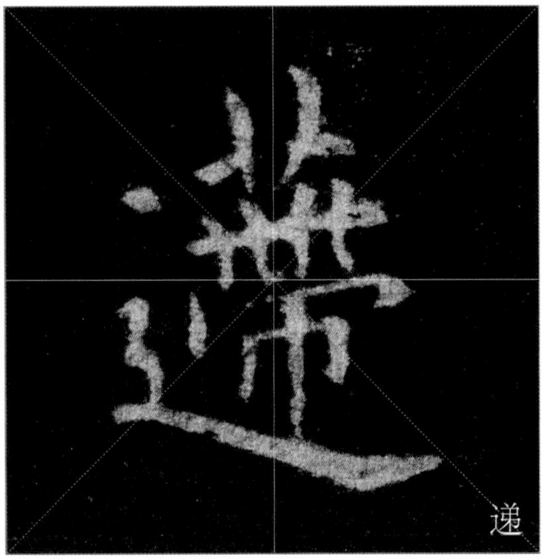
递

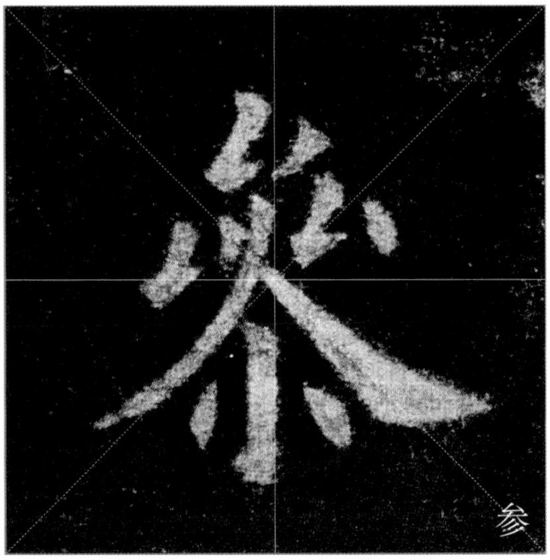
参

回

照

极

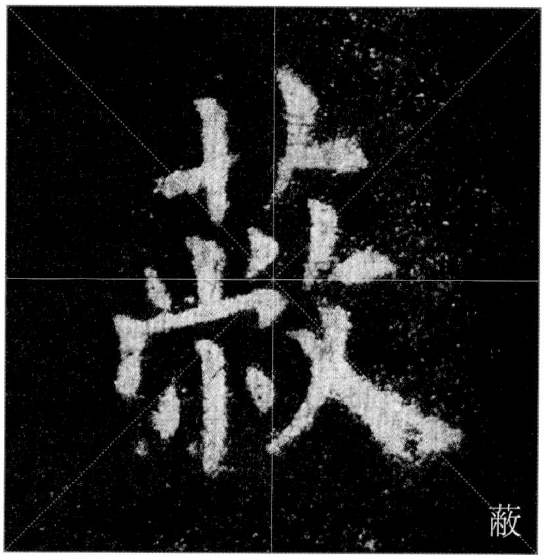

蔽

深

亏

凄

炎

胜

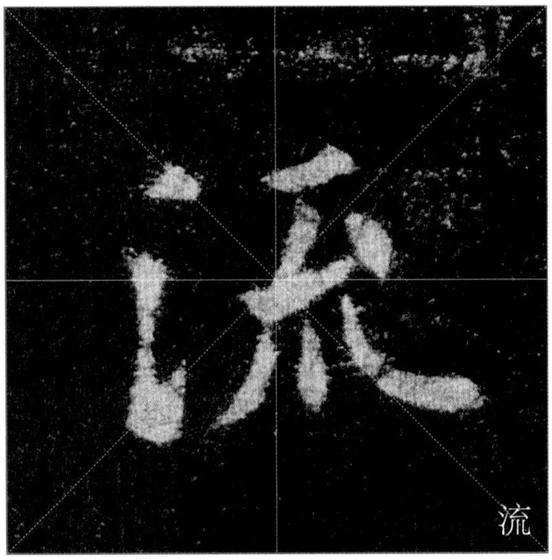
流

爰

徽